KB085703

跆拳道教本

2

基本

第二卷
基本

第一章
跆拳道蕴含的身体和运动原理

第二章
跆拳道术语和技术体系

第三章
跆拳道技术

1 跆拳道蕴含的身体和运动原理

1 身体

1 身体结构

(1) 骨骼系统

人体骨骼系统共有206块骨骼组成，占据身体重量的20%，包括骨头、软骨、关节和韧带。这些骨骼与肌肉和韧带相连，通过机械功能实现人体运动，同时也对大脑、脊髓和心脏等内部器官提供保护。在跆拳道中，骨骼是维持姿势的支柱，是移动时连接肌肉的杠杆，同时具有防御和攻击的作用。

头部、躯干和下肢是形成站姿的关键结构部位。在重力作用下，姿势的稳定性如何，取决于贯穿于头部、躯干和下肢的身体中轴线相对于双脚所构成支撑面的位置。马步是一种稳定的站姿，双脚分开与肩同宽，身体重心位于双脚中间。鹤立步是一种较不稳定的站姿，身体重心位于一只脚上，维持整个身体的平衡较为困难。

人体骨骼通过关节相连，附着在骨骼上的肌肉产生的拉力可形成以关节为轴的旋转运动。肱二头肌以肘关节为轴拉动前臂的桡骨，使手臂向躯干弯曲，形成内格挡姿势。股四头肌以膝关节为轴牵拉小腿胫骨，实现前踢或横踢动作。

骨骼较为坚硬，防御时可用于保护身体，攻击时则是实施击打的工具。内格挡和外格挡使用手腕外侧，其中手腕关节和前臂尺骨上部用于防御对手的攻击。在执行膝部上击时，膝关节骨骺是用于攻击的部位，能给予对手致命击打。

持续反复细小的冲击会引起轻微骨骼损伤，但在骨骼自我修复和适应压力的过程中，其密度会逐渐增大。将此概念应用到跆拳道训练中，便有一种名为“锻炼”的修炼方式，即通过连续击打硬物来增加骨骼强度。然而，如果没有足够的休息时间来修复损伤，这些连续、突然的冲击可能会导致骨折，对骨骼、肌肉和神经造成损伤。因此，在练习跆拳道时需要特别注意这一点。

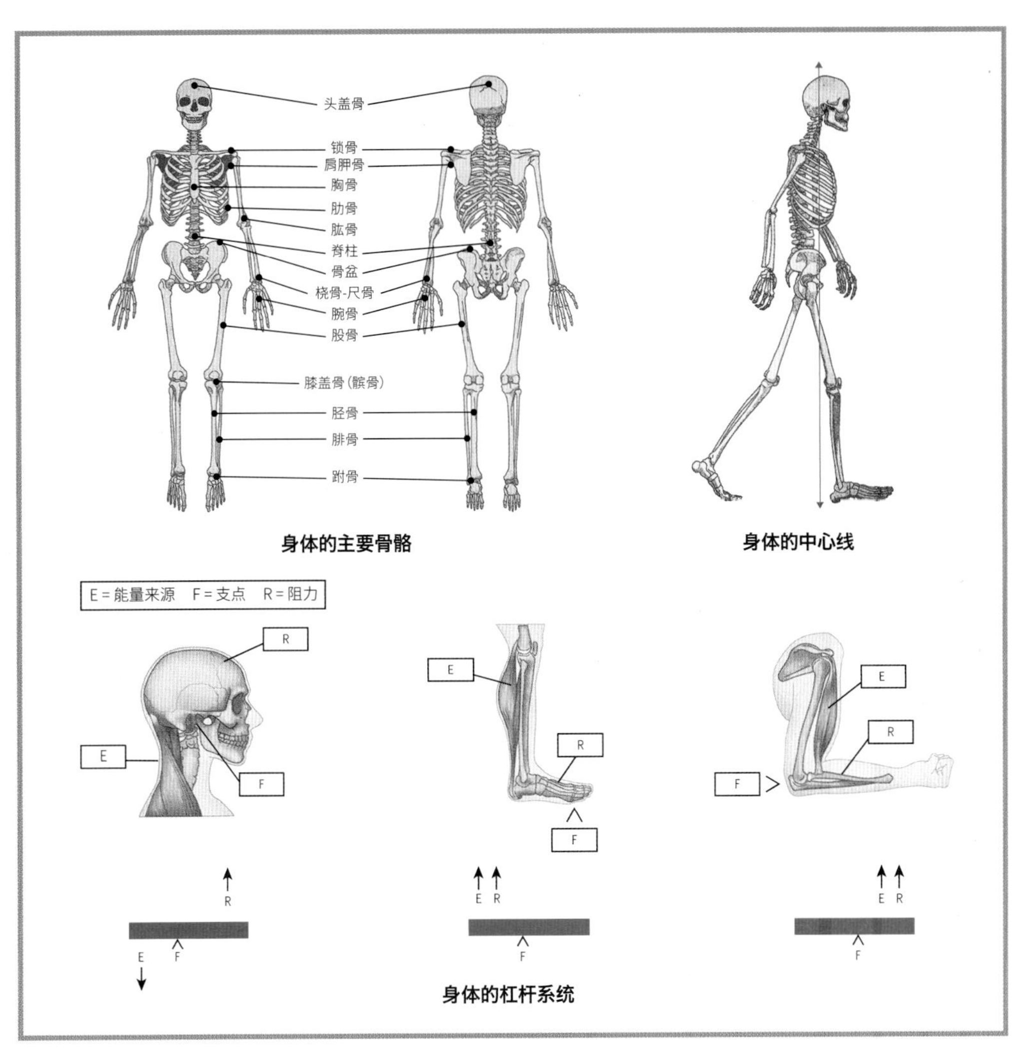

身体的主要骨骼，身体的中心线，身体的杠杆系统。

(2) 关节、肌腱、韧带

人体由头部、躯干和四肢的共15个部位构成。躯干分为上半身和骨盆部位。上肢包括手部、前臂和上臂，下肢包括足部、小腿和大腿。关节是指两个或两个以上部位为实现特定功能的相互连接之处，并由各种韧带和纤维组织加固，具有限制和辅助人体活动的作用。肌腱是连接肌肉和骨骼的组织，类似弹簧具有弹性。在进行日常行走和奔跑等动作时，肌腱的拉伸能增强肌肉收缩效率，预防肌肉损伤。韧带是连接骨骼之间的纤维性结缔组织，能够防止骨骼相互摩擦损伤。

脊柱由24个椎骨构成，包括颈椎、胸椎、腰椎和骶椎。颈椎连接头部和上半身，躯干关节连接上半身和骨盆。它们参与了许多肢体动作，如前屈、后伸、侧屈、内外旋等。连接上半身和手臂的肩关节，以及连接骨盆和腿部的髋关节都是球窝关节，可以向三个方向形成旋转。但上臂和前臂之间的肘关节，以及大腿和小腿之间的膝关节都是铰链关节，只能在一个方向上进行屈伸动作。

运动术语

- 屈曲/伸展：指关节的弯曲与伸直。
- 侧屈：身体躯干向一侧弯曲。
- 外展/内收：指手臂或腿部的张开和闭合。
- 旋转：绕轴运动。具体包括向内旋转（内旋）和向外旋转（外旋）。
- 旋内/旋外：以肘关节为轴，掌心向下或向上旋转。
- 足背屈：脚背向小腿方向屈曲的运动，如在侧踢或后踢时脚的形状。
- 足跖屈：脚背向脚掌方向伸展的运动，如在正踢或横踢时脚的形状。

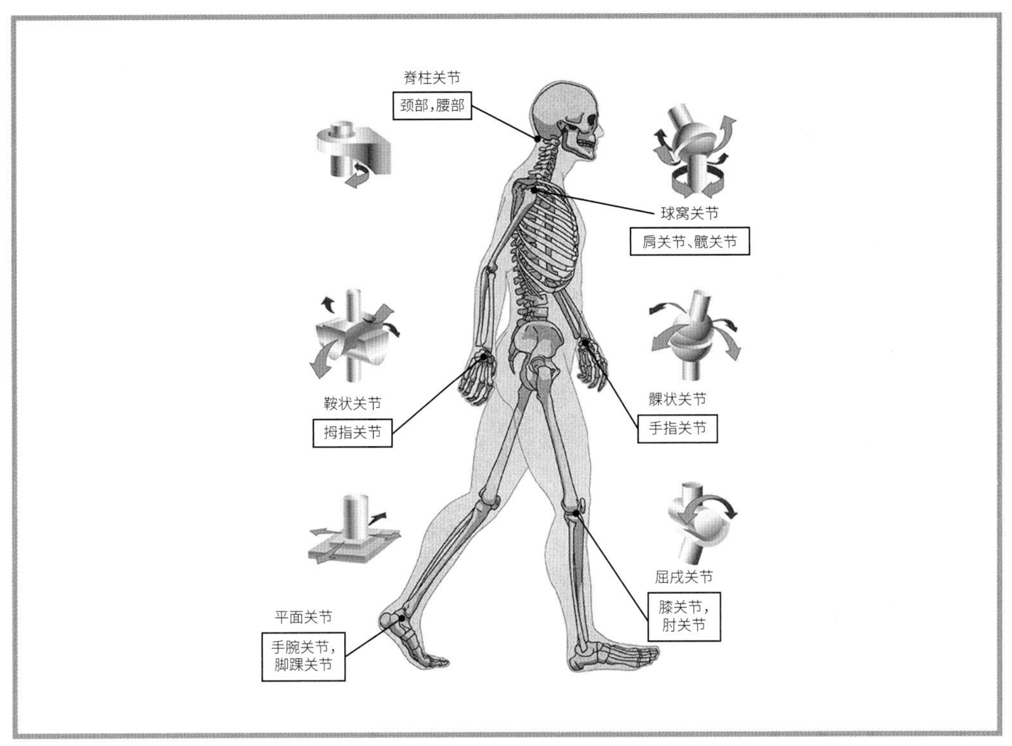

关节类型和人体主要关节

人体的各种运动是以关节为轴，通过不同部位的旋转运动来实现的。既有，如通过肘关节实现手臂屈曲或伸展的简单动作，也有，如跳跃这样需要发挥肌肉力量，同时配合脚踝、膝盖和髋关节进行屈曲或伸展的较为复杂的运动。

每个关节可旋转的最大范围被称为关节活动范围。这种活动范围受体力因素影响，其中柔韧性是动作流畅、细致的必要要素。随着柔韧性的提高，肌肉和韧带可以在大幅度运动时提供更大的伸展空间，从而防止受伤。在跆拳道运动中，最重要的是提升柔韧性和灵活性，这样可以更合理地协调肌肉的运用，使得做出快速而有力的动作变得更为容易。

(3) 肌肉

肌肉大约占人体重量的40%到50%。肌肉与骨骼相连，因此在很大程度上决定了我们的身体形态。肌肉不仅帮助我们维持正常体温，其收缩和伸展更是身体运动的核心要素。人体的肌肉层级丰富，深层肌肉与骨骼紧密相连，帮助关节精确地运动并保持身体的平衡，而浅层肌肉连接皮肤，在产生动作时起到发力的作用。了解每一种动作背后的肌肉运动原理对于深入理解跆拳道技术的特性并进行有效的体能训练至关重要。

提升肌肉密度可以将身体的使用部位“武器化”，这对于跆拳道修炼非常有益。例如，通过练习从指尖开始握紧拳头，可以使手腕肌肉变得更加结实，从而提高握拳的紧密度。同样，展示使用手刀和掌根击打技术时，弯曲指尖和拇指能增强手腕肌肉的稳定性，使攻击更加有力。此外，在某些护身技术中，手中握住一支笔或打火机，可以短暂提升握拳的紧密度，进而增加击打力度。

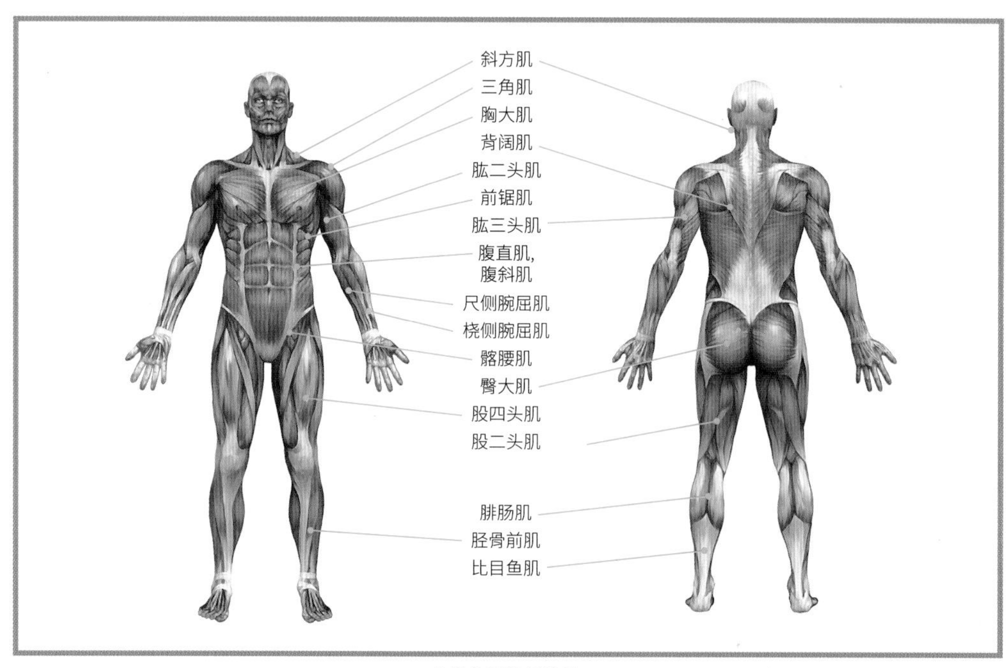

身体主要的骨骼肌

腰部周围的肌肉

腰部周围的肌肉包括腹直肌、腹斜肌、髂腰肌、臀大肌、股直肌、股二头肌、缝匠肌等。这些肌肉参与协助躯干和髋关节的屈曲运动，帮助实现腿部的屈曲和伸展。它们在腿部技术如站姿、步法和跳跃中起重要作用。每一次踢腿动作都离不开髋关节周围肌肉的协调运动。在进行前踢时，髋关节使大腿部分基于躯干弯曲。在执行侧踢时，大腿部位在向后旋转的同时进行屈曲和伸展。此外，腰部的旋转是通过调动腹斜肌和缝匠肌等围绕腰部的肌肉组织来实现的，这些肌肉连接上半身和骨盆部位。

髋部后置会导致竖脊肌和股四头肌紧张，使身体容易受到外力的影响。反之，将髋部前置则可以放松腰部、腹部和背部周围的核心肌肉，使身体能够抵抗外力。对于如马步、前行步、前弓步等静态姿势，前滑步、后滑步等移动技术，以及前踢、横踢等攻击技术的施展，髋部前置都是技术的关键。该姿势有利于技术动作间连接过渡的流畅性，同时也有助于将地面反作用力传递至躯干，由此提高踢腿的幅度。

膝关节周围的肌肉

膝关节周围的肌肉包括股直肌、股二头肌、胫骨前肌以及腓肠肌，它们促成膝关节的屈曲和伸展运动。股四头肌与髌骨和膝关节的下部相连。这些肌肉围绕髌骨，通过杠杆效应可获得相当大的速度，并产生坚实的力量来驱动小腿、足部以及屈曲的膝关节。因此，在踢腿时，髋关节和膝关节的屈曲以及膝关节的伸展是连续进行的。

参与执行踢腿动作的肌肉

位于股四头肌背面的股二头肌能防止膝关节过度伸展，并使膝关节能够快速弯曲。股四头肌及其周围肌肉的收缩有助于弯曲的膝关节伸直，而股二头肌和其周围的肌肉收缩则能使伸直的膝关节弯曲。在侧踢时胫骨前肌收缩，通过使踝关节背屈和足部内旋结合起来形成脚刀。

踝关节周围的肌肉

踝关节周围的肌肉包括胫骨前肌，腓肠肌，以及比目鱼肌。小腿前部的胫骨前肌收缩，使得背屈动作成为可能。同时，小腿后部的腓肠肌和比目鱼肌的收缩形成足跖屈动作。脚刀的形状是通过同时收缩胫骨前肌、腓肠肌和比目鱼肌而形成的。

肩关节周围的肌肉

肩部周围的肌肉主要包括肱肌、三角肌、背阔肌和胸大肌。这些肌肉能使手臂在外展或内收的同时，完成内旋和外旋的动作。肱肌的收缩使得肩关节可以屈曲或伸展；前臂肌肉的收缩则可以控制肘关节下部的旋前、旋后和旋转动作。此外，这些肌肉还可以调节腕关节的运动来启动各种手部动作，并通过手指周围的韧带实施各种手部技术。肩关节使我们能够将上述动作与躯干沿左右轴的旋转运动和双臂的钟摆运动结合起来进行手部技术的练习。

三角肌和其周围的肌肉使得手臂可以侧向外展，而背阔肌和其周围的肌肉则可以使外展的手臂内收。胸大肌和其周围肌肉的收缩使得手臂可以向内旋转，而上背部的肌肉则能使团缩的胸部和手臂向外旋转。在跆拳道运动中，当向前冲拳时，通过收缩上部肩关节处的肌肉将手臂抬起，同时手臂随着胸部肌肉的收缩向内收，拳头的方向位于中央。

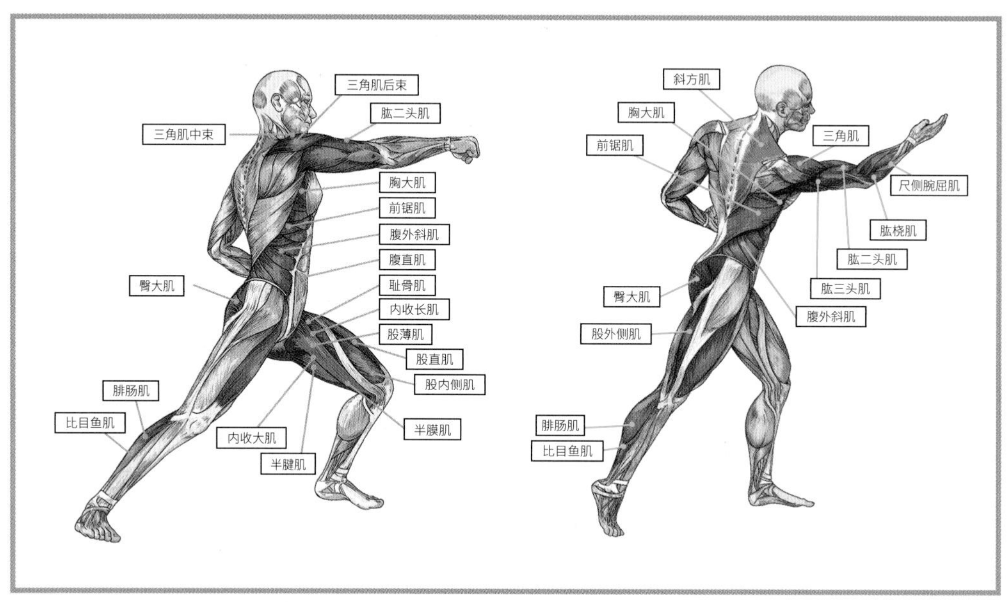

参与冲拳和击打动作的肌肉

肘关节周围的肌肉

肱二头肌和肱三头肌均位于肘关节周围。上臂前部的肱二头肌以及其周围的肌肉可使得手臂在伸展状态下进行屈曲，而上臂后部的肱三头肌及其周围的肌肉则能使弯曲的手臂伸展开来。肘关节的角运动与手部的内旋和外旋动作紧密相关。

腕关节周围的肌肉

腕关节周围的主要肌肉包括桡侧腕屈肌和尺侧腕屈肌。通过收缩前臂肌肉，我们可以使腕关节屈曲或伸展，也可以实现手指的弯曲和伸展动作。相比于足部技术，手部技术更为复杂，变化也更加丰富。例如，在执行外格挡时，上臂和背部的肌肉会收缩，使得手臂能够向外移动至预期位置。

(4) 神经

神经系统的主要职能是检测刺激和神经冲动，并将这些冲动传递给其他部位的神经组织，以便控制和调节身体运动。神经系统可以划分为中枢神经系统和外周神经系统。其中，中枢神经系统负责整合和管理各种刺激和信息，而外周神经系统则负责将体表和内部器官收集的刺激和信息传送至中枢神经系统，或者将中枢神经系统的反馈传达至各个器官。

我们能有意识地控制的运动被称为自主运动。当萌生运动意愿时，中枢神经系统会产生电脉冲（动作电位），并将这些信息传达至相关肌肉。运动神经将动作电位传递到每块肌肉，而小脑对每个动作进行适当的调节。通过反复练习同样的动作，不需要有意识的神经调节功能会在自主运动中得到改善，从而实现准确而快速的动作。随着更多的练习，人们可以根据无意识结果的预测来移动，这被称为自主运动控制。跆拳道的修炼是通过反复练习以达到这一水准。

面对危险情况时，如遭遇威胁、在众人面前发言、参加重要考试等，我们的自主神经系统中的交感神经系统会保持高度警觉，这称为“对抗或逃避反应”。在此状态下，人们会保持紧张和警觉，随时准备进行攻击、防御或逃避。肾上腺素（包括肾上腺素和去甲肾上腺素）有助于提升心率和血压，加速呼吸，激活汗腺，并通过增加血液中的葡萄糖供应，提高新陈代谢，为快速反应做好准备。然而，经历这些压力后，我们可能会感到疲惫不堪和肌肉疼痛，这是由于葡萄糖的迅速消耗和肌肉的持续紧张所致。对抗或逃避反应是一种自我保护本能，它能暂时提高运动能力和反应能力、力量和速度。它使我们在意识到危险情况时对疼痛不敏感。因此，多在跆拳道竞技实战或护身实战中体验适度的警惕状态非常重要，这有助于在面对紧急情况时正确使用该技巧。

(5) 跆拳道主要技术与肌肉骨骼系统的关系

在执行跆拳道技术时，我们需要借助肌肉力量来驱动骨骼，以实现预期的技术动作。具体运用肌肉和骨骼的方式会因运动的种类和难度水平有所区别。跆拳道主要技术所涉及的肌肉骨骼系统如下所示。

跆拳道主要技术与肌肉骨骼系统的关系

主要动作	骨骼	关节	肌肉
冲拳	脊柱、骨盆、锁骨、肩胛骨、肱骨、桡骨、尺骨、腕骨	腰部、肩关节、肘关节、腕关节	斜方肌、三角肌、胸大肌、腹直肌、前锯肌、腹斜肌、肱三头肌、桡侧腕屈肌
击打	脊柱、骨盆、锁骨、肩胛骨、肱骨、桡骨、尺骨、腕骨	腰部、肩关节、肘关节、腕关节	腹斜肌、斜方肌、三角肌、胸大肌、肱二头肌、肱三头肌、桡侧腕屈肌、尺侧腕屈肌
格挡	脊柱、骨盆、锁骨、肩胛骨、肱骨、桡骨、尺骨、腕骨、股骨、胫骨	腰部、肩关节、肘关节、腕关节、髋关节、膝关节	腹斜肌、斜方肌、三角肌、背阔肌、胸大肌、肱二头肌、肱三头肌、桡侧腕屈肌、尺侧腕屈肌、股二头肌
踢	脊柱、骨盆、股骨、胫骨、腓骨	腰部、髋关节、膝关节、踝关节	臀大肌、髂腰肌、股四头肌、股二头肌、腓肠肌、比目鱼肌、胫骨前肌

在肘关节处，肱三头肌负责肘部伸展，肱二头肌负责肘部弯曲。此外，桡侧腕屈肌负责将拳头内旋，尺侧腕屈肌负责将拳头外旋。在膝关节处，股四头肌用来伸直膝部，股二头肌则帮助膝盖屈曲。在踝关节处，腓肠肌和比目鱼肌用于踝关节的足底跖屈，而胫骨前肌则辅助踝关节的背屈。腰部、肩关节和髋关节的旋转可使手臂和腿部有效地屈曲和伸展。完成复杂的运动需要将每个伸展和屈曲动作平滑的连接起来。

在进行跆拳道冲拳时，需要依次连续执行腰部内旋、肩关节屈曲、肘关节伸展、桡尺关节内旋等一系列动作，直至拳头触及目标。肌肉按序完成的动作包括：腹斜肌带动腰部旋转，斜方肌和三角肌抬起并旋转上臂，前锯肌和肱三头肌拉直前臂，最后由尺侧腕屈肌使拳头内旋。

同样，在进行前踢动作时，需要依次连续执行腰部内旋、髋关节屈曲、膝关节屈曲、踝关节足底屈曲以及膝关节伸展等动作。肌肉按序完成的动作包括：腹斜肌带动腰部旋转，腹直肌和髂腰肌驱动大腿，股二头肌使膝盖弯曲，腓肠肌和比目鱼肌伸直脚踝，最后由股四头肌伸直小腿。

2 __ 要害部位

要害是人体极为脆弱的部位，由于其高度敏感，哪怕是微小的外界刺激，都可能对身体造成致命影响。这些要害部位通常位于肌肉之间或骨头之间。虽然由于肌肉和骨骼的保护，想要攻击到这些要害部位并非易事。但也有一些要害部位暴露在外，如眼睛、锁骨、睾丸、胫骨、耳朵、跟腱和关节等。在防御的立场上应最大限度的保护要害部位，反之，在反击的立场上，熟知并通过有针对性地攻击这些要害部位，则更容易制服对手。

在跆拳道中，攻击要害部位的目地是为了保护自己，避免受到伤害，而非攻击对手的弱点以造成致命伤害。要害部位遍布身体的各个部位，形态各异，针对不同的位置和形态需要采取不同的攻击策略。因为要害部位主要分布在面部，因此用手部和上肢进行攻击通常比用足部更为有效。同样，当攻击对方腿部时，用足部攻击通常比用手部和上肢更为实用。特别是当穿着鞋子时，这种攻击方式更容易造成更大的伤害。

对于经常进行力量训练的人来说，肌肉会更好的覆盖护卫住身体的要害部位，如胳膊、躯干、丹田以及大腿，想要攻击这些要害部位并非易事。然而，对于有些要害部位，如头部、颈部、手腕、膝盖、小腿以及足部，肌肉的保护作用并不明显。因此，了解每个要害部位的形状和特征，并根据目标适度调整攻击力度是极其重要的。此外，防御者也可以通过击中或控制对方的要害来有效抵挡攻击。

(1) 根据受伤程度对要害部位进行分类

可能致命的要害部位

头部和躯干都含有大量的要害部位。头部包括大脑、脊髓、神经细胞、神经纤维以及众多血管，对于外界的冲击极为敏感。身体躯干内部包含许多重要的内脏器官，若攻击躯干部位导致内脏破裂，则可能危及生命。

攻击和防御的目标部位	要害部位
上段（面部）	人中、眼睛、扶突、喉结、人迎、承浆、廉泉、大迎、上关、哑门、鼻骨、囟会、百会
中段（躯干）	胸口、膻中
下段（下半身）	丹田（气海）

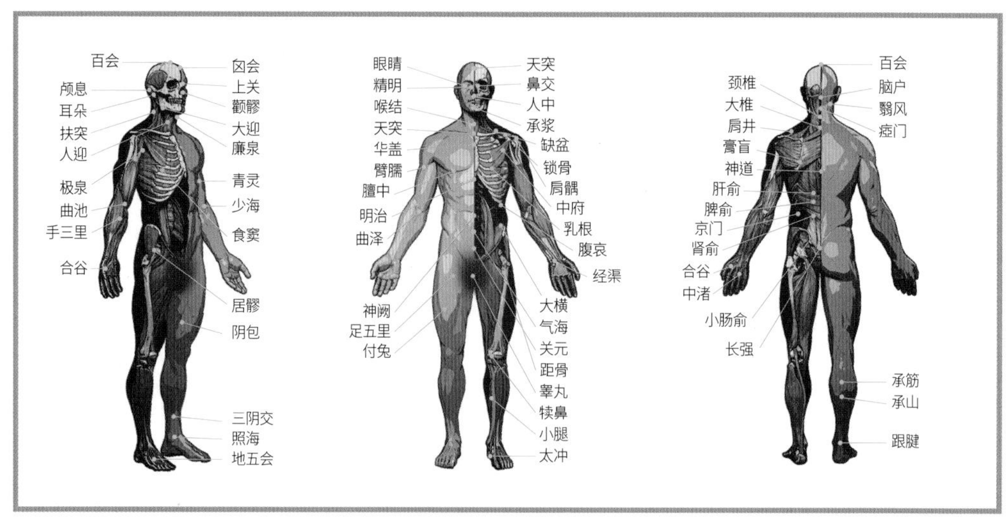

造成致命损伤的要害部位

可导致严重伤害的要害部位

这些伤害虽然不会危及生命，但可能导致瞬间失去意识，剧烈疼痛，令身体无法动弹。这些要害部位主要位于躯干和下半身。

攻击和防御的目标部位	要害部位
上段（面部）	翳风
中段（躯干）	神阙、睾丸、腹哀、食窦、肩髃、膏肓
下段（下半身）	跟腱

可导致轻微伤害的要害部位

按压和击打这些要害部位可导致暂时性疼痛。然而，一旦释放被压迫的部位或随着时间的推移，疼痛会逐渐消退。这些要害部位主要位于下半身和手臂。

攻击和防御的目标部位	要害部位
上段（面部）	天突
中段（躯干）	经渠、合谷、中渚、曲泽、曲池、少海、神门、手腕
下段（下半身）	委中、三阴交、地五会、阴包

(2) 上段 (面部) 要害

要害部位		图片	解释
人中			• 位置: 鼻子和上唇之间 • 症状: 击中后会引起脑震荡, 冲击力传到大脑, 会导致运动和感觉功能的丧失。轻度击打可能引起面瘫和牙齿脱落。 • 攻击方式: 冲拳、背拳前击打、虎口前击打
下颚	承浆		• 位置: 下唇和下颚中间的凹点 • 症状: 脑震荡, 昏厥, 下颚下垂 • 攻击方式: 冲拳、虎口前击打
	大迎		• 位置: 耳朵下方, 下颚边缘的凹点 • 症状: 下颚下垂, 疼痛昏厥 • 攻击方式: 臂肘横击
	翳风		• 位置: 耳垂下方和下颚端点正上方的凹点 • 症状: 迷走神经和交感神经的刺激会传到大脑, 导致极度疼痛, 可能引起短暂昏厥和脑震荡 • 攻击方式: 背拳外击打、中凸拳横击打
颈部	扶突		• 位置: 下巴旁边, 颈动脉脉搏处 • 症状: 动脉和颈动脉受损, 颈神经丛受到刺激后可能昏厥 • 攻击方式: 手刀翳风击、手刀背内击打
	喉结		• 位置: 喉咙中间, 甲状软骨凸出的部位 • 症状: 呼吸困难, 可能导致昏厥和死亡 • 攻击方式: 手刀外击打、手刀背内击打、虎口前击打
	哑门		• 位置: 当头部后仰时, 在颈椎第一和第二椎骨之间的斜方肌上的凹点 • 症状: 由于对迷走神经、脊髓神经和交感神经的冲击, 可能会出现暂时昏厥、脑震荡、运动失调、感觉功能丧失或言语障碍 • 攻击方式: 手刀背内击打、手刀外击打
太阳穴	上关		• 位置: 眼睛和耳朵之间的凹点 • 症状: 脑震荡、动脉血管破裂、听力障碍 • 攻击方式: 中凸拳横击打、背拳外击打
头部	囟会		• 位置: 前额发际线中点上方大约5厘米处 • 症状: 由于对额神经的冲击, 可能会导致丧失感觉和运动功能, 由于额动脉破裂可能导致脑出血和脑震荡 • 攻击方式: 锤拳下击打、手刀下击打、背拳下击打
	百会		• 位置: 连接两耳线与前额中线的交点 • 症状: 颅内神经受到冲击, 导致昏厥, 脑震荡, 枕大神经受到冲击导致运动神经麻痹或感觉神经麻痹, 或喉动脉破裂导致脑出血 • 攻击方式: 手刀下击打、锤拳下击打

(3) 中段（躯干）要害部位

要害部位		图片	解释
胸口	鸠尾		• 位置: 胸骨柄正下方的点 • 症状: 在肝脏和肠道受到冲击时, 刺激被传递到内脏神经丛和大脑。大脑无法处理这种刺激, 因此, 它被传递到迷走神经, 这会抑制心脏功能。被刺激的迷走神经抑制心脏脉冲, 导致心脏病发作死亡。轻微的打击会导致血液循环中断和呼吸困难, 进而导致昏厥。 • 攻击方式: 冲拳、中凸拳冲拳、臂肘横击、手尖刺击、前踢、侧踢、横踢
肩部	肩髃		• 位置: 躯干与手臂的连接点 • 症状: 由于肩膀脱臼, 手臂会无法移动 • 攻击方式: 手刀下击打
腹部	神阙		• 位置: 腹部中央的肚脐 • 症状: 对腹壁动脉的冲击会导致循环障碍, 刺激被传递到内脏神经丛和迷走神经, 从而导致心脏病发作或心律不齐 • 攻击方式: 膝盖顶击、冲拳、前踢、侧踢
肋部	腹哀		• 位置: 膈肌和胸廓的正下方 • 症状: 由于肝脏位于右侧, 冲击力会从肝脏传到肺部, 导致呼吸困难。脾和胃在左侧, 冲击力会传至肺和心, 导致脾、胃、肺和心脏功能衰竭 • 攻击方式: 冲拳、中凸拳冲拳、侧踢、横踢
	食窦		• 位置: 胸部中线两侧约18厘米处, 位于第五和第六肋骨之间 • 症状: 胸长动脉和肋间神经受损引发生理功能障碍, 冲击的刺激传至肺部, 由于呼吸和循环障碍导致昏厥 • 攻击方式: 冲拳、中凸拳冲拳、横踢
背部	膏肓		• 位置: 背部中线左右各约7厘米处, 位于第四和第五胸椎之间, 被肩胛骨覆盖 • 症状: 冲击力传至肝脏并引发脊髓损伤, 导致呼吸停止或循环障碍, 因极度疼痛导致运动功能丧失 • 攻击方式: 手刀下击打、中凸拳冲拳

臂肘	曲池	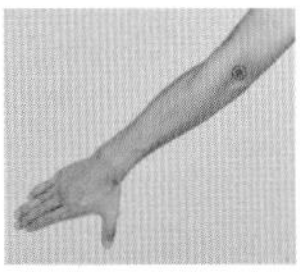	• 位置: 肘关节内侧 • 症状: 由于极度疼痛, 致使手臂无法移动 • 攻击方式: 手刀击打
	曲泽	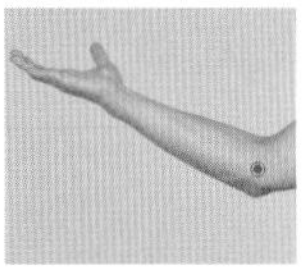	• 位置: 在臂肘的水平线末端, 位于两块屈曲骨头的中间 • 症状: 手臂麻痹或脱臼 • 攻击方式: 手刀击打
	少海	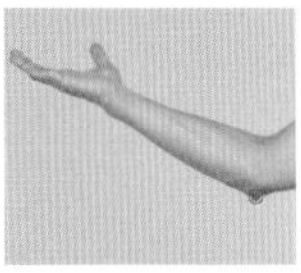	• 位置: 肱骨连接到桡骨和尺骨的接合点 • 症状: 由于尺神经受到刺激, 致使手臂无法移动 • 攻击方式: 手刀击打
手腕	经渠	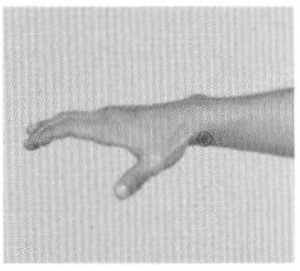	• 位置: 手腕前方, 位于内、外桡骨肌腱之间 • 症状: 造成极度的疼痛从而削弱力量 • 攻击方式: 手刀击打
	神门	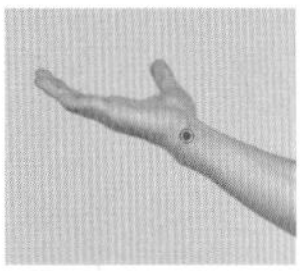	• 位置: 在小指侧腕横纹紧挨掌骨下方的凹陷处, 翻转掌心向上时可见 • 症状: 无法使用手 • 攻击方式: 用拇指尖按压
	合谷	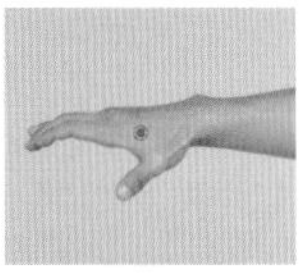	• 位置: 食指骨内侧的凸起点 • 症状: 由于极度疼痛, 手臂力量大减 • 攻击方式: 用拇指抓住并向外扭转
	中渚	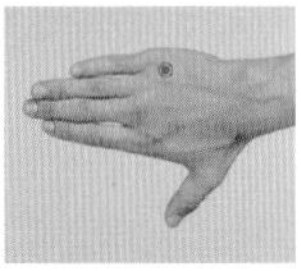	• 位置: 在第四和第五掌骨之间 • 症状: 无法使用手 • 攻击方式: 用拇指尖按压
	手腕		• 位置: 手和手臂之间 • 症状: 无法使用手 • 攻击方式: 手刀击打

(4) 下段 (下半身) 要害部位

要害部位		图片	解释
丹田 (丹田中点)	气海		• 位置: 位于肚脐和裆部之间, 肚脐下方4.5厘米处 • 症状: 肚子极度疼痛, 如果冲击传递到内脏神经丛, 对腹部动脉的冲击会引起循环障碍, 心脏病发作或心律失常 • 攻击方式: 竖直冲拳、手刀外击打、手刀背内击打、前踢、侧踢
膝盖	阴包		• 位置: 大腿内侧两块肌肉分开的地方 • 症状: 身体力量全无, 无法用腿 • 攻击方式: 前脚掌横踢
	委中		• 位置: 膝后腘肌中间, 动脉经过的地方, 两个硬质韧带之间的凹陷处 • 症状: 由于坐骨神经和胫骨神经麻痹导致的力量丧失, 会引起虚脱 • 攻击方式: 侧踢
脚踝	三阴交		• 位置: 内踝上方9厘米处 • 症状: 腿部暂时性麻痹 • 攻击方式: 手刀外击打、侧踢
	跟腱		• 位置: 脚跟上方的凹陷处 • 症状: 胫动脉和后胫神经的疼痛传至腰部, 会使行走变得困难 • 攻击方式: 手刀内击打、脚跟后旋踢
脚背	地五会		• 位置: 第四和第五趾之间略上方的凹陷处 • 症状: 第四胫动脉和神经的刺激传至腰部和腹部, 会引发极度疼痛 • 攻击方式: 脚后跟冲压踢

3 跆拳道攻击和防御的目标部位

跆拳道攻防技术的主要目标部位是面部、躯干和下半身。面部包括从头部到颈部，躯干包括从肩部到腰部，下半身包括从骨盆到脚趾，各目标部位的要害分别为人中、胸口和丹田。这些要害部位是跆拳道攻防的基准点，在基础训练中，应以面部、躯干和下半身为主要目标，而在练习品势或特定技术时，则通过设立更细化的目标来提高精确度。

•攻防目标：面部、躯干、下半身

•具体目标：面部——人中、眼睛、下巴、颈部、太阳穴、头部

躯干——胸口、肩部、肚子、侧部、背部、臂肘、手臂、手腕

下半身——丹田、裆部、膝盖、脚踝、脚背

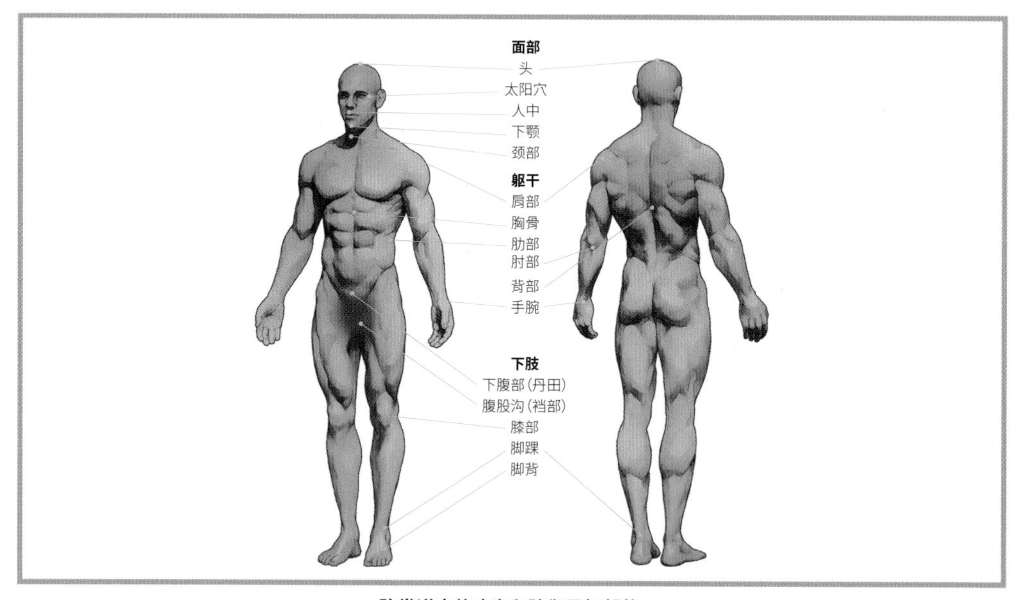

跆拳道中的攻击和防御目标部位

每个跆拳道目标涉及的要害部位

区段	部位	要害
上段（面部）	人中	
	眼睛	
	下颚	承浆穴
		大迎穴
		翳风穴
	颈部	扶突穴
		喉结
		哑门穴
	太阳穴	上关穴
	头部	囟会穴
		百会穴
中段（躯体）	胸口	鸠尾穴
	肩部	肩髃穴
	肚子	神阙穴
	胁腹	腹哀穴
		食窦穴
	背部	膏肓穴
	臂肘	曲泽穴
		曲池穴
		少海穴
	手腕	经渠穴
		神门穴
	手腕	合谷穴
		中渚穴
		手腕
下段（下半身）	丹田	气海穴
	裆部	睾丸
	膝盖	阴包穴
		委中穴
	脚踝	三阴交
		跟腱
	脚背	地五会穴

4 — 跆拳道主要使用的身体部位

通过跆拳道技术向目标发起攻击或进行防御时，使用的身体部位具有多样性。因此，使用适当的身体部位并坚持练习，对于正确使用跆拳道技术，获得有效的攻击与防御效果来说十分重要。

(1) 拳

拳是指手部屈指卷握起来的形态，主要用于冲拳技术。在握拳时，除了拇指外的四指合拢并卷握入掌，拇指向内折叠，用力压住食指。通过拇指长伸肌和拇指短伸肌，固定手腕关节就像使用钥匙时的动作一样。当握拳伸出手臂时，食指、中指、桡骨和尺骨应保持在一条直线上，以避免手腕扭伤。这样做可以防止手腕在进行类似冲拳的击打技术时发生弯曲，从而更稳定地以更高的速度和更强的力量击打目标。

直拳涉及将拳头向内旋，以肘关节为轴心，使拳背朝上。这个动作在手臂伸展到80%的长度时能够发挥最大力量。在从立拳转变为直拳时，可以在不收缩肱二头肌的情况下完全伸展手臂。这样做有助于最大程度地发挥上臂和前臂肌肉的有效质量，并在使用经过扭转、放松且有序的肌肉击中目标时产生更大的力量和速度。立拳指的动作是在不旋转拳头的情况下通过伸展和屈曲肘关节冲拳。仰拳是指拳背朝下（外旋），主要用于相当近的距离，因为难以获得足够的速度，所以需要借助手臂和全身的力量。

技术	使用的部位	图片	解释
冲拳	拳头		• 位置: 握拳时, 食指和中指之间的部位 • 攻击目标: 面部(人中、下巴、头部、颈部), 躯体(胸口、侧面), 下半身(丹田)
击打	锤拳		• 位置: 出拳时拳头的外侧。握紧拳头时, 腕部到小指第一关节之间的部分 • 攻击目标: 面部(头部), 躯体(肩部、侧面、背部、臂肘), 下半身(丹田、膝盖、脚背、脚踝) • 附加解释: 用于利用肘关节和肩关节的旋转进行击拳, 例如太极五章中的锤拳下击打, 或者通过内旋或外旋手臂进行击打
	背拳		• 位置: 握紧拳头时, 食指第一关节和中指第一关节之间的拳背平坦部分 • 攻击目标: 面部(人中、下巴、太阳穴、头部), 躯体(胸口、侧面), 下半身(丹田) • 附加解释: 当利用肘关节或肩关节的旋转击打或拳背朝前或向下时使用, 例如太极五章中的背拳正面击打, 或者利用腰部的旋转使背拳朝外, 如太极七章的背拳外击打
	中凸拳		• 位置: 握紧拳头时, 推动中指第二指节使其凸出 • 攻击目标: 面部(人中、眼睛、下巴、太阳穴), 躯体(胸口、侧面) • 攻击方式: 用于攻击面部凹陷的要害部位。可以攻击较小目标, 以相同的力量产生更大的压力。当打击胸口时, 与直线攻击相比, 使用瞬间向上的动作以翻转拳头的形式执行打击更为有效。

(2) 手

在跆拳道中，手是指手指展开、手腕以下的人体部位。我们需根据攻击目标，使用手的不同部位进行攻击。手主要用于进行击打或格挡，但同时张开的手也可用于抓、推和拉等技术。

技术	使用的部位	图片	解释
格挡	手刀		• 位置：手张开，所有手指并拢但稍微向内弯曲的状态下，从小指到手腕的部分 • 防御目标：面部、躯体、下半身 • 附加解释：可以将手刀格挡与抓取技术相结合；在进行击格挡时，可作为反击技术
	掌根		• 位置：手指并拢，手向后弯曲时，手掌的底部 • 防御目标：面部、躯体、下半身 • 附加解释：在进行击格挡或躯外格挡时使用
	虎口		• 位置：摊开手掌展开拇指和食指时，拇指和食指第一指节之间的凹陷部分 • 防御目标：对手相应的身体部位 • 附加解释：用于交叉格挡，即使用两根手指之间的部位，格挡对手的相应部位
击打	手刀		• 位置：手张开，所有手指并拢但稍微向内弯曲的状态下，从小指到手腕的部分 • 防御目标：面部（人中、下巴、颈部、太阳穴、头部），躯体（肩部、侧面、背部、前臂、手腕），下半身（丹田、膝盖、脚背、脚踝） • 附加解释：在弯曲或伸直肘关节时，用于从正面或侧面攻击对手，并有多种使用方式，如内击打（水平向内移动手刀），向外击打（向外移动手刀），向下击打（向下移动手刀）。用手刀进行击打或格挡时，关键在于伸直腕关节，以将身体产生的力量传递到肩关节。
	掌根		• 位置：手指并拢，手向后弯曲时，手掌的底部 • 防御目标：面部（下巴、头部），躯体（胸口） • 附加解释：需要从腕关节处稍微向后弯曲手部，用腕骨和前臂的尺骨和桡骨等坚固的部位进行击打。主要利用瞬间伸直手臂产生的力量。

击打	手背		• 位置: 与手掌相对的手腕以下部分; 具体而言, 除拇指外, 四个手指的第一个关节与手腕之间的平坦部分 • 防御目标: 面部 (人中、下巴), 躯体 (胸口) • 附加解释: 用于在近距离内攻击对手的面部或分散对手的注意力。关键在于出手要坚定, 从而精确打击目标。
	手刀背		• 位置: 从拇指的第一个关节到食指的第一个关节的侧面部分; 当拇指完全朝向手掌折叠并伸直其他手指时, 该位置刚好位于手刀的对边 • 防御目标: 面部 (人中、下巴、颈部、太阳穴), 躯体 (胸口、侧面) • 附加解释: 在展示击破动作时, 用于内击打和向下击打。在完全伸直手臂的情况下, 仅使用手臂的力量进行手刀背的攻击时, 可能会造成肩关节和肘关节损伤。
	虎口		• 位置: 手部张开, 拇指和食指分离的状态下, 拇指和食指第一个关节之间的凹陷部分 • 防御目标: 面部 (下巴、颈部) • 附加解释: 主要用于击打; 当对手站在墙壁或柱子前面时, 攻击效果最佳, 因为在这种情况下可使排斥力达到最大
刺击	手尖		• 位置: 张开手, 五指并拢, 稍微弯曲中指以使其与无名指和食指对齐时, 手的末端部位; 将食指, 中指和无名指并拢时的手的末端部位 • 防御目标: 面部 (眼睛、颈部), 躯体 (胸口、侧面), 下半身 (丹田、裆部) • 附加解释: 由于它相比中凸拳的力量较弱, 因此目标主要是眼睛等较柔软的部位; 可以应用于太极四章品势中的手尖立刺击, 高丽品势中的贯手翻转刺击, 以及十进品势的手尖扣手刺击
抓	手		• 位置: 张开手部并放下手臂时, 手腕以下的部分 • 防御目标: 所有可能抓住的部位 • 附加解释: 与握拳不同, 该动作需要伸展所有手指

(3) 臂

手腕是连接手臂和手的从手腕关节开始向肘关节方向约四指宽的部分, 在跆拳道使用部位中桡骨一侧为内手腕, 尺骨一侧为外手腕。主要用于格挡。

臂肘是指上臂和前臂的肘关节外侧部分, 和拳头或弯曲的手腕一样, 是没有肌肉的坚硬的骨骼部分, 因此即使没有特别的锻炼也不会感到痛苦, 是可以用于强力击打的部位。另外, 由于采用了尖锐的形状, 因此具有在对方击打部位施加较大压力的优点。因其与在人体质量中占很大一部分的躯干和肩关节之间直接相连, 所以肘关节与膝关节一样是传递身体力量的有用使用部位, 主要用于尽可能近距离的击打。

技术	使用的部位	图片	解释
格挡	外手腕		• 位置: 出拳时手腕的外侧部位 • 防御目标: 面部、躯体、下半身 • 附加解释: 手腕以下四指宽的部位; 用于击格挡时的反击
	内手腕		• 位置: 出拳时手腕的内侧部位; 手腕以下四指宽的部位 • 防御目标: 面部、躯体、下半身
击打	臂肘		• 位置: 分隔上下臂的关节部位, 屈曲手臂时突出部分的外侧 • 攻击目标: 面部 (下巴、头部), 躯体 (胸口、肩部、侧面、背部)
抽	手腕		• 位置: 腕关节以下四指宽的部位, 分为内手腕和外手腕
	臂		• 位置: 肩部和手腕之间的部位, 通过肘关节的折叠和展开来使用; 上臂在肩部和臂肘之间, 前臂在臂肘和手腕之间

(4) 脚

在跆拳道中，脚（足）部是指脚踝以下的部位，具体使用的部位取决于防御或攻击的目标。因为与足部相连的腿部比手臂的长度更长，所以在防御时使用足部更为有利，更有可能让对手难以近身。

技术	使用的部位	图片	解释
格挡	脚刀		• 位置：脚背和脚掌之间的外侧边缘，脚后跟和小趾之间的脚外侧 • 防御目标：躯体、下半身 • 附加解释：弯曲腿部，可用脚刀进行阻击格挡
	脚刀背		• 位置：脚背和脚掌之间的内侧凹陷部位，脚后跟和前脚掌之间的脚外侧部位 • 防御目标：面部、躯体 • 附加解释：用于躯外格挡，即通过改变对手攻击的方向来格挡攻击
	脚背		• 位置：脚背在人站立时不接触地面，是位于脚趾和脚踝之间的脚面部位 • 防御目标：下半身
	脚掌		• 位置：人站立时，除去脚趾与地面相接的部分 • 防御目标：躯体、下半身 • 附加解释：弯曲腿部，可用脚掌进行阻击格挡；它有许多功能，如从地面获取力量、提升身体、旋转和保持平衡
	前脚掌		• 位置：脚趾上屈时脚的前部；与脚趾直接相连的脚掌前面的平坦部分 • 防御目标：躯体、下半身 • 附加解释：弯曲腿部，可用前脚掌进行阻击格挡
踢	前脚掌		• 位置：脚趾上屈时脚掌的前端；与脚趾直接相连的脚掌的前端平坦部分 • 攻击目标：面部（人中、太阳穴、头部），躯体（胸口、侧面），下半身（丹田、裆部、膝盖、脚踝） • 附加解释：踢击时用作旋转身体的中心轴

踢	脚背		• 位置: 脚背在人站立时不接触地面, 是位于脚趾和脚踝之间的脚面部位 • 攻击目标: 面部 (人中、头部), 躯体 (胸口、侧面、背部、臂肘、前臂、手腕), 下半身 (丹田、裆部、膝盖、脚踝) • 附加解释: 在突然伸展膝盖时, 小腿背部的肌肉 (腓肠肌、比目鱼肌) 将踝关节伸直, 并使脚尖和胫骨对齐以防止受伤; 主要用于需要腰部旋转产生强大力量的快速踢击, 如横踢
	脚后根		• 位置: 脚跟的边缘部位 • 攻击目标: 面部 (太阳穴、头部), 躯体 (胸口、肩部、侧面、背部), 下半身 (裆部) • 附加解释: 可以用于在短距离内以收腿的形式进行攻击; 由于面积较小, 可比脚掌产生更大的压力, 最大化冲击力
	后脚掌		• 位置: 站立时, 除了前脚掌和脚趾外, 与地面接触的脚底圆形部位 • 攻击目标: 面部 (人中、下巴、颈部、太阳穴、头部), 躯体 (胸口、肩部、侧面、背部), 下半身 (裆部、脚) • 附加解释: 在有限的空间内, 无需任何身体动作, 只要将一定的身体重量放在后脚掌, 就可产生强大的冲击力来踩踏对手的脚背
	脚尖		• 位置: 站立时, 脚趾的尖端 • 攻击目标: 躯体 (胸口), 下半身 (丹田、裆部) • 附加解释: 在打击硬目标时, 可能会伤到脚趾关节, 所以主要用它来打击脆弱的要害部位; 由于接触面积小, 所以能够在打击点产生更大的压力, 从而可以进行有效的攻击, 穿上有硬质尖端的鞋子会使其效果更佳
	脚刀		• 位置: 脚背和脚掌之间的外侧边缘, 脚后跟和小趾之间的脚外侧 • 攻击目标: 面部 (人中、下巴、颈部、太阳穴、头部), 躯体 (胸口、侧面), 下半身 (丹田、裆部、膝盖、脚踝) • 附加解释: 用脚刀踢击时, 关键是要将踝关节内收, 并将脚背向胫骨方向收紧, 使用脚刀的后脚掌部位打击以产生更大压力
	脚刀背		• 位置: 脚背和脚掌之间的内侧凹陷部位; 脚后跟和前脚掌之间的脚内侧部位 • 攻击目标: 面部 (下巴, 头部), 躯体 (侧面) • 附加解释: 内踢时, 髋关节内收肌的柔韧性至关重要; 可以通过打击对手的支撑腿使对手失去平衡
	脚掌		• 位置: 人站立时, 除去脚趾与地面相接的部分 • 攻击目标: 躯体 (胸口、侧面、背部), 下半身 (丹田) • 附加解释: 用来将对手踢开

(5) 腿

胫骨位于小腿前部，可以用于踢击或格挡。在防御时，可用于阻击格挡，通过弯曲膝关节或根据对手攻击的方向向后移动身体，以增加接触时间，并吸收或减轻冲击。通过训练，可以利用胫骨的硬度和锐度进行反攻。

膝盖是位于大腿和小腿之间的膝关节部位，主要用于击打。由于与髋关节相连且靠近身体，其无法获得大的关节活动范围。因此，最好选择能充分利用身体质量的击打姿势，而不是用其快速进攻。在使用膝盖攻击时，应确保膝盖在身体外线内侧进行动作，以产生坚实的击打力度。

技术	使用的部位	图片	解释
格挡	小腿		• 位置：在膝盖和脚踝之间的骨头的前部；小腿的前胫骨 • 防御目标：躯体、下半身 • 附加解释：通过折叠膝盖或移动身体进行阻击格挡；在进行击格挡时也可以用来反击
击打	膝盖		• 位置：大腿和小腿之间的膝端股骨骨骺部分；屈腿时突出的外部 • 防御目标：面部（人中、头部），躯体（胸口），下半身（丹田） • 附加解释：膝盖用来在近距离内攻击对手；但如果距攻击目标较远，可以拉近与目标的距离或进行跳跃攻击。

2 运动原理

1 站姿

站姿是执行跆拳道技术下一动作的基础。它包括脚的位置，保持身体平衡，以及在展示技术前后的准备姿势和停止姿势。技术由站姿开始并以站姿结束。在身体没有任何移动的静止状态下，站姿被用来为下一个动作做准备。

在静态站姿中保持稳定的方式是压低姿势，扩大支撑面，将身体的中心线置于支撑面的中心。另一方面，保持动态站姿的方式是缩小支撑面，提高重心，并将身体中心线置于支撑面的边缘，使其处于不稳定的状态。此外，在进入准备状态时，通过将身体的重心移动到必要位置，保持能够提高运动效率的姿势至关重要。

另外，在预备动作阶段，可以通过扭转身体或将手臂放在目标动作的相反侧，以积蓄因弹性和肌肉收缩而产生的强大力量和速度。即，大幅的预备动作蕴含着更大的力量和速度。但另一方面，对手可以通过观察预备动作的站姿，预测其力量和速度。因此，在整个训练过程中，应该努力练习通过小幅度的预备动作来提高目标动作的效率。

具有动态平衡的站姿对于跆拳道来说非常重要，因为跆拳道技术的主要目的是通过击打目标部位，将力量传递到对手身上。以向下击破固定在地面上的击破物为例，击破时若击破的手臂弯曲，由于手臂的缓冲效应，作用在目标上的击打力就会降低。同时，击破前身体的位置也需要调整，应确保能够击中目标的中央部位。另外，还须保持动态站姿，这样可以将整个身体的重量都投入到击破中，而不仅仅是使用手臂的力量。举例来说，在沙袋上进行腾空后踢时，伸直腿部击打目标，比屈腿产生更大的冲击力。

(1) 步伐

跆拳道的步伐指双脚站立在地面上, 为执行攻防动作做好准备的身体姿态。这种站立状态以双脚维持身体的稳定, 为实战中的快速反应和移动奠定基础。跆拳道的初学者应当在原地练习各种手部和腿部技术, 当熟练掌握这些技术后, 就可以结合跳跃或向前移动来练习。

在跆拳道中, 有许多步伐可以有效地利用地面反作用力。它们可以分为保持脚部接触地面以维持平衡的步伐, 如并步、马步、鹤立步; 以及用脚蹬地或在地面上停止以移动重心和改变方向的步伐, 包括前行步、前弓步、后弓步等。此外, 还可以根据站姿降低或提高重心的方式, 改变支撑面的大小和方向, 以及中心线和重心之间的距离来分类步伐, 所有这些因素都与身体平衡的稳定性有关。

保持脊柱正直对于维持正确的姿势相当重要, 要保持这个姿势, 需要将下巴稍微向身体方向收紧, 拉直颈部和背部, 形成胸椎的正常曲度, 或者收紧下腹部, 拉紧腰部, 形成腰椎的正常曲度。均衡发展脊柱周围的肌肉, 有助于维持脊柱的正确姿势, 从而提高身体的稳定性。挺直上半身, 保持身体稳定, 有助于维持身体重心的稳定性, 使身体重心能够在动态情况下更快地移动。

随时准备将身体的重心向左、右、前、后方向移动, 是发挥力量和对抗外部力量或进行攻防的关键。因此, 站立时并非是静止不动, 而是在维持身体重心的同时准备快速进攻和防御。这种状态被称为静中有动的准备状态, 而动中有静则是指在进行连续的动作时, 保持中心线稳定的状态。只有理解并维持静中有动和动中有静, 才能正确掌握跆拳道技术。

静态的平衡和稳定

静态平衡不涉及身体的运动或旋转。静态稳定与保持姿势密切相关，在准备特定练习或中途暂停时起着重要的作用，比如体操中的倒立和田径、游泳中的起始（准备）姿势。

稳定性与物体的支撑面大小成正比，当扩大双脚距离或将手或膝盖放在地面上以扩大支撑面时，稳定性会增加。马步增强了左右的稳定性，而前弓步则在前后方向上有较大的支撑面，并且重心位于前方。因此，在抗后推作用力时具有高度的稳定性。身体在一个方向上的稳定性与该方向上的重心到支撑面末端的距离成正比。

此外，稳定性与物体的重量（质量）成正比。重量增加可提高稳定性，但会降低加速度。稳定性与支撑面到重心的距离成反比。因此，降低重心会增加稳定性。通过趴下并展开四肢可以最大化稳定性，因为该姿势会扩大支撑面，且中心线通过支撑面的中心。马步、前弓步和后弓步都是稳定的站姿，因为其重心较低。

动态平衡

动态平衡可在移动时保持身体稳定，但维持动态平衡并不容易，因为其涉及到对力量的精准控制。左图展示了一种静态平衡的侧踢示例，通过将重心放在支撑面上来保持静态姿势。右图展示了动态平衡的侧踢，侧踢过程中需以垂直中心轴为基础，利用腿部的逆时针旋转来抵消手臂的顺时针旋转。

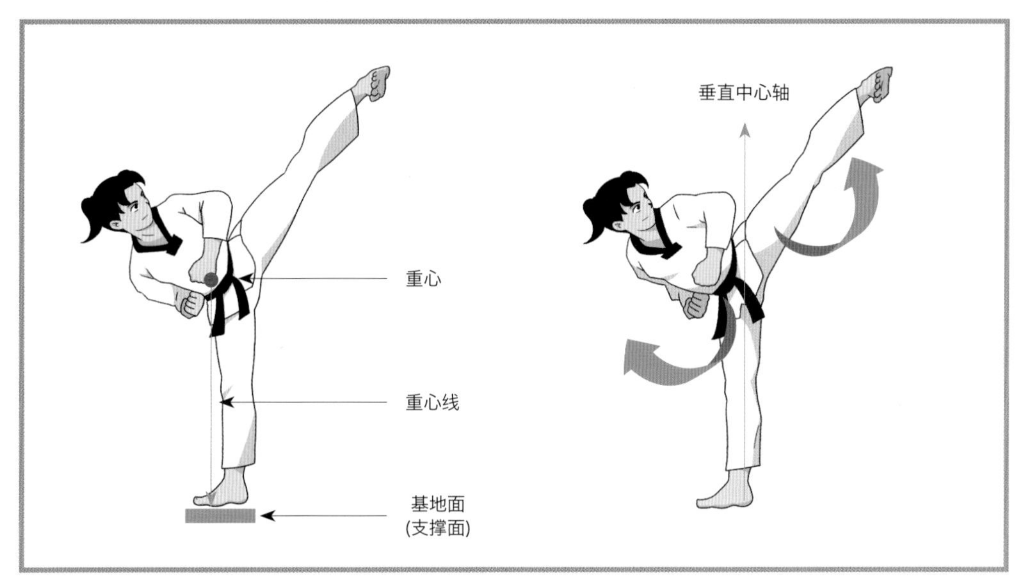

侧踢时的静态平衡和动态平衡

动态稳定是通过一个物体的反复平衡和打破平衡来进行维持的。重力线通常会越过支撑面的外缘。例如，为了向前奔跑，需要有意打破平衡，使重力中心线越过支撑面的外缘。然后，再移动一步，形成新的支撑面，并将重力中心线置于这个支撑面上，就可以恢复平衡。这就是在涉及大量动作的实战过程中，攻击后再次回到实战姿势的原因。

反应时间和准备姿势

一个步伐的反应时间取决于两脚在地面上的方向以及地面反作用力的使用效率。要缩短反应时间，完全弯曲或伸直腿关节均不可取，因为这样不利于肌肉的快速收缩。

当脚与地面接触时，移动的方向受到限制，但可以通过改变脚的方向和位置来变换移动方位。通过将重心降低至两脚形成的支撑面上来调整水平方向的重心至理想方位，通过弯曲膝盖，垂直或水平地向地面施力可实现重心的移动。此外，不管准备朝着哪个方向移动，均需及时且适当地弯曲关节，利用地面反作用力实现快速移动。假设某人通过弯曲膝盖降低身体姿势来进行弹跳。在这种情况下，可利用控制膝关节移动的肌肉（缝匠肌、股四头肌、腓肠肌、比目鱼肌、前肌）的弹力，结合地面反作用力为身体各部分的下一步运动做准备。但如果动作幅度过大，向对手暴露出预定移动方向，则会暴露出将要使用的技术。因此，考虑到在真正的比赛中实际的、战略性的应用，需要不断地练习这些动作。

2 动作

动作指的是身体、手或脚的任何运动。虽然可以看作是静态动作的延续，但实际上包含着诸多看不见的属性，如与时间、位置、距离相关的速度，以及与速度和身体利用程度相关的力量，还有与力量、经验、认知相关的气势等。因此，即使像握拳、翻掌、腿部屈伸等这样看似简单的动作也属于其中。在跆拳道中，动作指的是为了执行如冲拳、击打、格挡等目的技术而进行的预备动作-中间动作-目标动作的一系列过程。

跆拳道的动作首先可以分为中间动作和目标动作。目标动作是普通的跆拳道技术，而中间动作则是执行目标动作的过程。准备动作则是执行中间动作和目标动作的初始姿势。为了有效地运用技术，需要选择与技术目标相符的适当动作。这些技术目标包括自然、流畅、坚实、速度、力量和时机。

例如，前弓步下段格挡并不仅仅是将手腕外侧放低并置于身体外部的姿势，而是通过运用手腕外侧格挡或挡开对手向下的攻击来实现防御。为了达成这个目标，最好将格挡的手臂置于肩关节的另一侧，以扩大活动范围，增加手臂的移动速度。通过向前迈步扩大支撑面，采取以前脚为轴心旋转腰部的前弓步姿势，可以最大化格挡力量。这一系列的动作总称为前弓步下段格挡。

当初学者尝试执行前弓步下段格挡时，需要借助准备动作将格挡手臂抬高到对侧肩部，并利用弓步产生来自腰部的旋转力。然而，假设熟练后即使不依赖准备动作产生的旋转力，也能达到下格挡技术的初始目的。在这种情况下，中级修炼者需要提高自身技术水平，使动作更加高效。因此，通过快速转动腰部和手腕以及调整每个关节和部位的运动时机，学习如何更有效地使用这些技术至关重要。

(1) 腰部旋转

腰部旋转是跆拳道中最常见的动作。通常来说，转腰意味着身体围绕腰部旋转，而腰部是连接上半身和骨盆的枢纽部位。这种运动允许腿部围绕骨盆转动身体，腰部的旋转伴随着骨盆和上半身的运动，为每个部分提供基础动力，从而产生力量和速度。当骨盆和上半身分开旋转时，腰部周围肌肉的力量大约是骨盆和上半身一起旋转时的两倍，肩膀周围肌肉的力量大约是1.5倍。因此，这种腰部旋转的动作非常关键。首先旋转骨盆可以产生更高的速度和更强的力量的原因有很多，其中最重要的是，当我们先旋转骨盆时，预先伸展的脊柱旋转肌肉储存的弹性力量随着实际旋转变得更强，从而产生更强的旋转力。

腿部旋转作用力对身体产生的旋转反作用力

如右图所示，当执行马步冲拳时，向前方的目标左冲拳。此时，腿对地面施加逆时针方向的作用力，也就是朝向左后方，而传递给身体的反作用力则为顺时针方向。基于这种反作用力，通过围绕垂直轴旋转躯干并从肩关节送出上臂，可以进一步增加手部和拳的旋转速度。

同样，在执行前踢时，运用核心肌力使支撑脚向地面施加力量。当支撑的前脚受到地面反作用力时，将身体后方围绕垂直轴向前旋转，以臀部关节为中心送出（旋转）大腿，可以形成踢击状态。

马步冲拳的反作用力和作用力

腰部旋转的原理

一. 向后扭转躯干，然后顺势向前旋转

躯干充分向后扭转并随后向前旋转的方法是，确保由扭转躯干产生的旋转动量被诸如拳和腿等部位充分利用。即，相较于仅依赖肘关节和肩关节进行冲拳、击打和格挡，或仅依赖膝关节和腿部屈曲和伸展的踢击相比，加入腰部的旋转力能够产生更大的冲击力。占身体重量的50%的躯干在旋转时可产生相当大的角动量，但同时身体的运动会相对笨拙。

二. 按照先骨盆后上半身的顺序向后扭转躯干后向前旋转

这是一种将躯干稍微向后扭转，然后先旋转骨盆，再向前旋转上半身的方法。这样可以将腹外斜肌、臀大肌、背部和腰部肌肉储存的弹力，叠加到腰部的旋转力上，从而产生更大的力量。在这种情况下，与仅仅旋转躯干相比，腰部的力量增加了大约两倍。由于上半身旋转速度快，动量大，连接骨盆的腿和连接躯干的手臂在反作用力下反应速度也更快，从而缩短了完成动作的时间。

三. 仅使用骨盆 (腰部) 的反弹

在躯干与腿部保持不动的姿势下, 先向前旋转盆骨, 借助反作用力与肌肉弹性, 能快速驱动与盆骨相连的腿部和与上体相连的手臂移动。尽管与先向后转动上身再向前旋转的方式相比, 产生的力量较弱, 但由于目标动作是在没有预备动作的情况下执行, 整体的动作时间更短, 反应更迅速。因此, 在需要快速反应和敏捷度的情况下, 这种方法非常实用。

(2) 提高各身体部位的速度

提高速度有两种主要方法: 一是采用投掷 (送) 动作, 二是采用推动动作。这两种方式能够使拳、手刀、手尖、手掌、臂肘、脚尖、前脚掌、后脚掌和脚掌等使用部位加速至最大速度以打击目标点。在跆拳道技术中, 诸如击打、格挡、横踢及上踢等属于投掷 (送) 动作类型, 而冲拳、刺击、推开和推踢等则属于推动动作类型。这两种类型都充分利用运动链原理来旋转每个部位, 为最终的使用部位增加速度和力量。

运动链 (Kinetic link)

在动作中, 身体部位的使用顺序和动用方式 (时机的调整) 对提高有效力 (effective force; 用于运动的力) 具有决定性影响。身体的一些强壮部位具有较大的质量和惯性, 难以快速运动。因此, 在使用力量时, 必须首先调动较大的身体部位。在身体的肌肉中, 那些较强但运动较慢的肌肉应该首先加速, 然后才是大腿或上臂肌肉, 接着是较轻、较快的小腿或前臂肌肉。最理想的情况是让所有力的作用一起结束。这种运作原则称为运动链原则。当身体各个部位之间的连接时机正确, 运动流畅如鞭子般时, 能够实现最佳效果。

上身随着腰部扭转而转动, 放松下垂的手臂在肩关节处产生惯性摆动, 通过摆臂进行水平旋转可以执行内击打。肘关节的屈曲与伸展可用于执行前击打, 而使前臂内旋、外旋可以用于实施冲拳和外击打技术。同样, 腰部扭转并旋转盆骨可以使腿部围绕髋关节摆动, 膝关节的屈曲或伸展可以执行前踢、勾踢、后旋踢等技术。

旋转手臂和腿的方法

一. 伸展关节旋转

使用伸直关节的手臂或腿部旋转的方法时，只需简单地利用占体重约10%的手臂重量和约30%的腿部重量进行击打。虽整个腿部或手臂一起移动，导致速度较慢，但却能够传递强大的角动量。

二. 按屈曲关节顺序伸展关节旋转

基于运动链或鞭子原理，以身体重心为起点，依次张开关节，可以显著提高末端部位的速度。这种方法适用于学习一般的击打、格挡和踢击技术。将腿部向前和将手臂向外伸展时，只需简单地朝目标方向伸直。然而，在向其他方向伸展运动时，比如转动腰部执行横踢或向内转动手腕执行内格挡等，其他部位的参与会增加旋转力。

三. 向目标方向移动时伸展

虽与伸展折叠部位传递的冲击力相同，但通过将重心或整个部位向目标方向旋转移动，以利用旋转力提高旋转速度从而缩短时间，是通过体重增加击打力度的方法。当击打侧面目标时可按照原地步-侧步-转身-跳转的顺序向旋转方向快速移动并进行击打。此时，适当的利用体重可以使击打更有力。

☞ 原地背拳外击打 → 右侧步背拳外击打 → 180度旋转背拳外击打 → 360度旋转背拳外击打
☞ 前脚横踢 → 后脚横踢 → 前滑步横踢 → 旋风踢

四. 无预备动作的旋转

在实战准备姿势中无预备动作击打目标最快的方法是使用手臂。理论上，将打击轨迹与目标构成一条直线，可以将执行攻击的时间最小化。然而，由于这种击打方式力量较弱，因此在执行冲拳或击打时，应调整击打轨迹，使其与身体的中心线对齐，以更好的利用身体重量。

正面伸出拳头的动作 (冲拳)

当初学者执行冲拳动作时，为了用力击打，经常出现整个肩部和手臂僵硬的情况。这种情形下，伸展手臂的肌肉和屈曲手臂的肌肉同时发力，彼此抵消，导致无法打出符合预期的重拳。

在上臂肌肉中，肱二头肌负责屈曲手臂，而肱三头肌则负责伸展手臂。因此，当肱二头肌收缩时，手臂会屈曲；而当肱三头肌收缩时，手臂会伸展。此外，如果对拉伸和收缩的肌肉施加同等的力量，关节会被固定住。因此，在冲拳时，必须有效地利用伸展肌肉的力量，同时尽量消除对拉动肌肉施加不必要的力量。

伸展肘关节，将拳背朝向地面时，上臂的肱二头肌会收缩发力。然而，如果伸展肘关节，使拳背朝向天空（内旋运动），则会感觉肱二头肌舒张不发力。换句话说，当拳向前伸出时，最小化肘关节屈曲肌肉发力的方式是将拳头向内旋转。这样可以获得更大的运动范围，使击打快速而有力（正拳）。这种方式可以自然地伸展手臂肌肉，因此效率较高，能充分动用与手臂和肩部相连的所有肌肉质量来打击目标。

另一方面，背拳面向地面伸展肘部的动作启动范围小、速度慢，适用于近距离目标的击打。由于可以利用因肌肉收缩而变得坚固的肱二头肌和肱三头肌，因此，可以动员身体的力量进行强有力的打击（仰拳）。背拳向外伸展肘关节的动作具有介于仰拳和正拳之间的活动范围和速度，因此比起仰拳，在打击相对较远的目标时更容易（立拳）。立拳可以调动身体的力量，而且能快速击打，有利于连续进行两次等击打。

在打击正面的目标时，可以依次采取原地站立、前行步、前弓步和跳远的顺序，快速向目标方向移动并进行击打。通过减少与目标的距离来加速攻击，也可以运用身体重量来增强击打力度。在向前迈出一步时，后腿的骨盆会自然地扭转，为后拳的打击提供额外的旋转力。由于伸展动作主要依赖肱三头肌，因此，像俯卧撑这样锻炼伸展肌肉的训练比如引体向上这样锻炼拉动肌肉的动作更具有提升击打力度的效果。

☞ 马步冲拳 → 前行步冲拳 → 前弓步冲拳 → 跳远冲拳

像甩腿一样的伸展动作（踢）

主要用于抬起并伸直腿部的肌肉是大腿前部的股四头肌，而主要用于折叠和拉动腿部的肌肉是大腿后部的股二头肌。

因此，当腿部弯曲时，股二头肌会收缩，当膝盖抬起时，腹直肌会收缩。然后，当股二头肌放松时，股四头肌会快速收缩以伸直腿部。换句话说，此时需要消除大腿后部股二头肌的力量，利用前部股四头肌的力量来伸展腿部。前踢和横踢就是利用这样的肌肉作用原理送出腿部的动作。

另一方面，对于后旋踢，需要使用身体后部的肌肉，如下背肌、大腿的股二头肌和小腿的腓肠肌，以使击打更有力。

3 _ 击打

在跆拳道中, 击打是通过使用手和脚, 即上肢和下肢的末端, 高速击打目标的过程。换言之, 击打涉及在短时间内产生显著的动量并对目标产生冲击。增加动量的方法包括通过在运动过程中调动更多身体重量来增强质量效应, 以及提高每个部位的速度。

(1) 增强质量效应的方法

击打可以分为两类: 一是只利用手臂和腿部的质量, 二是在此基础上加入身体的质量。如果被击打的物体较为脆弱 (如木板、瓦片等), 只要手和脚的速度足够快, 就可以像用锤子砸砖头一样, 只使用手臂或腿部的质量来击破物体。然而, 对于较为坚实的物体 (如红砖或大理石等), 就必须利用身体的重量。

为了在击打时有效地利用质量, 必须在与待击破物体接触的瞬间稳定关节, 以便最大程度地利用身体多个部位进行击打。举例来说, 用手部击打时, 可以通过在冲击瞬间稳定手腕关节、肘关节和肩关节, 将手、手臂和躯干结合成一个整体, 以增加用于击打的质量。这种方式增加的有效质量, 即用于实际击打的质量, 关键在于冲击瞬间发挥最大的肌肉力量, 紧紧固定住关节部位, 确保其不会松动。通过采用这种方式在击打时, 能将尽可能多的动量传递到对方身上, 同时防止击打部位因反作用力而反弹, 从而延长冲击力的作用时间。

(2) 加速动作的方法

增强肌肉力量

要提高身体速度, 良好的肌肉力量至关重要。肌肉的力量与其横截面积成正比, 因此发达的肌肉能够产生更大的力量。然而, 个体的肌肉力量受遗传因素和训练方法的影响而存在差异, 即使拥有相同粗细的肌肉, 发挥的力量也会有所不同。举例来说, 健美运动员的肌肉可能比举重运动员更发达, 但实际施加的力量可能更小。这种差异是由于不同的肌肉训练方法使得举重运动员的肌肉力量更为突出。

力量不足的大块肌肉可能会减慢手或脚的速度, 而不是加快速度。其理由是肌肉本身会成为移动的负担。力量不足的大块肌肉其质量与力量不成正比, 因此产生的加速度相对较小。一般来说, 身材高大的人相对于自身体格而言, 没有与自身体型成正比的肌肉力量, 因此, 与身体娇小的人相比显得动作缓慢。

精神和肌肉的放松

了解以下几个因素, 可以更好地利用肌肉来移动身体。在肌肉的缩短性收缩中, 施加的力量越大, 肌肉的收缩速度就越慢。也就是说, 怀揣着用力猛击的心态, 使用过大的力量进行急速收缩, 反而会使肌肉的收缩速度以及手和脚的速度减慢。施加强力的正确时机是在击打部位与物体碰撞的瞬间。

因此, 与其施加强大的力量, 不如放松肌肉, 让它们快速移动。人体大块肌肉能产生最大力量的肌肉收缩率大约在发挥其最大肌力的60%左右时。

一个人的身体能力很大程度上取决于其心态。即使身体强壮, 但如果在精神上不稳定, 由于过度紧张或缺乏自信, 也可能无法充分发挥技术。过度的紧张会导致肌肉收缩速度下降, 并有可能导致动作失败。此外, 如果在击打对手时缺乏自信, 肌肉会无意识地阻止身体运动, 将无法在击打时形成足够的速度。也就是说, “如果心里认为能够成功, 结果就能够成功。如果心里认为不能, 则结果很可能会失败”。冲拳前的 “发声” 有助于缓解过度紧张并集中精神, 因此适当使用是有益的。

部位间的协调

善用肌肉意味着要以正确的顺序移动身体的每一部位, 需要整个身体的运动协调。手和脚连接到手臂和腿, 而手臂和腿又连接到躯干。因此, 当腿部移动时, 躯干和手臂基本上与腿部速度 (重心速度) 相同; 当躯干移动时, 手臂就跟随躯干运动。也就是说, 当用手刀击破砖块时, 用于增加手刀速度的不仅仅是手臂。当腿部弯曲时的下降速度, 身体通过旋转力弯曲时的下降速度, 以及手臂运动时的速度相互叠加时, 手刀的速度达到最高。

要提高手或脚的速度, 关键在于利用躯干的肌肉力量来增加手臂和腿的速度, 并将动作流畅连接, 以实现手或脚速度的最大化。这种运动原理被称为运动链。身体各个部位之间需要像鞭子一样及时流畅地连接在一起, 这样才能发挥出最佳效果。

4 连接动作

深入分析跆拳道动作时，可以观察到在执行手臂和腿部技术时很少单独移动一个手臂或一条腿的情况。通常，动作的手臂和对侧手臂会同时移动；抬腿时，躯干也会有所运动。尤其在动作幅度较大、速度较快时，这种现象更加显著。这些协调动作有助于产生更大的扭矩并保持平衡。在运动力学中，这种现象可以通过角动量概念、角向反作用力定律和角动量守恒定律来解释。将拥有重量的身体部分如手臂、腿、躯干等统称为“部位”，根据同时在空中旋转两个部位的现象和原理对跆拳道技术进行分类，可以更清楚地理解执行这些技术动作的科学原理。

在跆拳道技术中，采用“头部-躯干-下半身”中心连接的虚拟垂直线作为垂直轴。这时，可以观察到中间的黑点，代表从顶部向下看时的垂直轴，而黄色矩形则表示从上往下看躯干的视图。躯干、手臂和腿都对称地附着在垂直轴的两侧，即在躯干和躯干下方。基于此，可以理解移动手臂和腿时在身体中心的一定距离处产生角动量。例如，在击打动作中，以垂直轴为中心产生角动量，导致整个身体向击打方向旋转。这种角动量的产生不仅仅限于垂直轴，同样适用于身体重心左右两侧的左右轴以及身体重心前后两侧的前后轴。举例来说，执行前踢动作时，腿绕过身体中心的左右轴旋转并上升，产生角动量。

根据运动力学原理（双部位动作原理）对技术进行分类

双部位动作原理	技术	
	技术类型	具体技术
共同推动 （仅使用伸展力朝一个方向推移）	推	推岩石、推泰山
	冲拳	长短拳
助手旋转 （围绕中心轴，在旋转的同一个方向上加力）	格挡	内格挡和应用技术 助手格挡、泰山格挡
	冲拳	冲拳和应用技术（不包括侧冲拳） 金刚拳、大铰链击（横冲拳）
	击打	内击打和应用技术 助手击打、燕形击打
	踢	横踢和应用技术（不包括内摆踢和双飞踢）

分开旋转 (围绕中心轴, 将力量向外分开)	格挡	外格挡和应用技术 挣开格挡、剪刀格挡、金刚格挡、半山格挡、牛角格挡
	推	展翅
	冲拳	侧冲拳
	击打	外击打和应用技术 双肘侧击打(双肘横击打)
	踢	侧踢和应用技术 后踢、剪刀踢、多方向踢、两脚交替踢
合并加旋转 (围绕中心轴, 将力量向内合并)	冲拳	拉冲拳、对掌冲拳
	击打	双拳内击打、拉击打、掌心击打
	踢	前踢和应用技术(不包括后踢) 内摆踢、双飞踢、并脚踢、抓踢、掌心踢

(1) 共同推动

共同推动是一种技术,指附着在躯干上的双臂使用肌肉力量同时向一个方向推动。只需使用双臂伸展的力量,便能够执行推岩石、推泰山和长短拳的技术。

(2) 助手旋转

当一只手臂向前伸展,另一只手臂同时向同一个方向旋转时,旋转力(角动量)、传递给目标的力(冲击力),以及腰部和肩部关节的运动范围(柔韧性)都会增加,从而发挥出较大的力量。

即,在下方右图中,①是用力送出左拳,②是需要同时迅速拉动右臂。

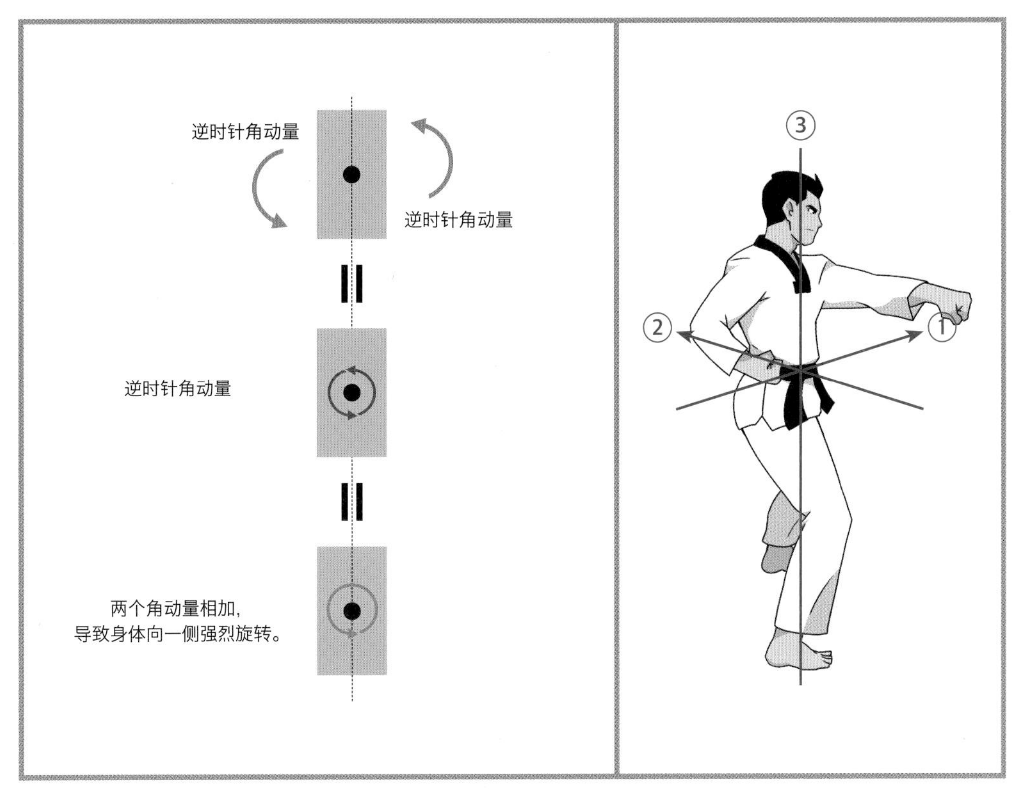

助手旋转原理及跆拳道中冲拳的旋转力

使用这种运动原理的基本技术包括冲拳、内击打和横踢。以垂直轴为中心, 通过将击打手臂对侧的手臂向击打手臂旋转方向相反方向拉动, 可以得到较大的旋转力。另一方面, 在横踢中, 通过让双臂和身体在同一旋转方向进行旋转, 可以获得可观的旋转力。所有同时使用双臂的动作, 如助手格挡、泰山格挡、金刚拳、大铰链击、助手击打和燕形击打, 都是基于围绕垂直轴在一个旋转方向增加力量的原理。上冲拳是中心轴向肩关节的左右轴变化, 下击打是中心轴向垂直轴和左右轴的对角方向变化, 适用同样的原理。

另一方面, 除了协助其他部位旋转, 还可以通过尽量将身体部位远离中心轴 (惯性矩) 来增加旋转效果。与屈曲肘关节旋转腰部相比, 保持肘关节的伸展可以产生更大的旋转力。在现代实战比赛中, 手臂通常不向身体方向聚拢, 而是伸展开并旋转, 因为这样可以产生比将手臂贴近躯干更大的旋转力。另一种方法是加快身体部位旋转 (角速度), 肌肉力量越强, 角速度就越快, 因此需要进行增强肌肉的训练。

(3) 分开旋转

当一个部位通过用脚蹬地面（地面反作用力）旋转时，可以将另一个部位向旋转方向的相反方向旋转来抵消旋转力（角动量），从而停止动作。当相反的旋转方向从中心轴向外时，被称为“分开旋转”。当相反的旋转方向从中心轴向内时，被称为“聚合旋转”。特别是在跆拳道中，当执行如品势等技术或在空中执行技术时，会经常需要使用表中列出的分开旋转技术来在动作结束时停止，因为当一个动作被一个向相反方向的旋转力平衡时，就可以很容易地停止。因此，以上原理可以成为掌握动作时机的标准方法。当一侧的旋转力增加时，可以通过增加相反方向的旋转力，以在期望的时间点停止动作。一个强有力的站立（姿势）可以防止被这时产生的反作用力拉动或推动，从而能够通过地面上的双脚来抵抗反作用力。

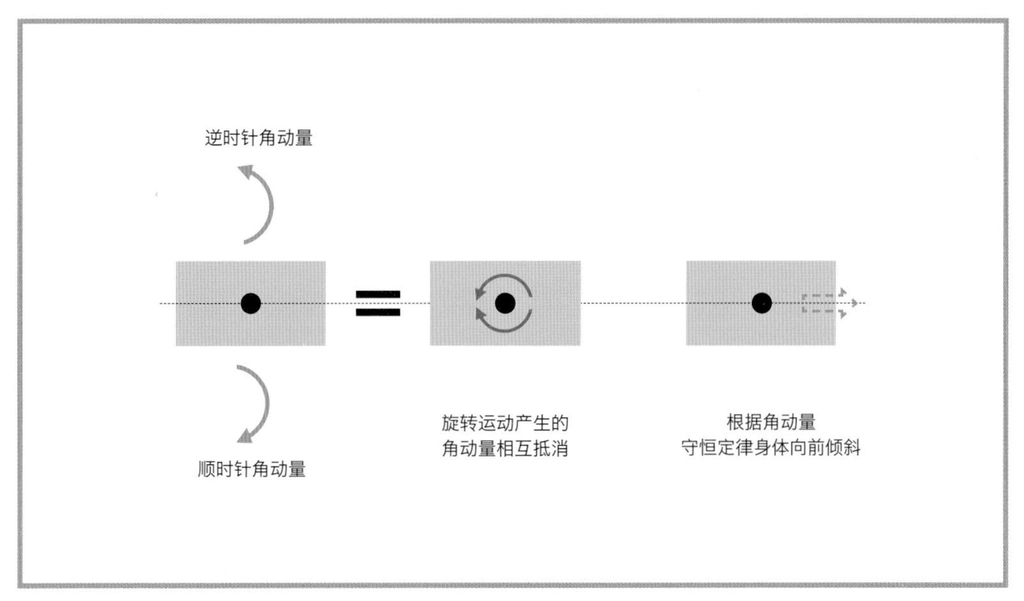

分开旋转的原理

分开旋转原理可以应用于多种技术，其中外击打和侧踢是两个基本技术示例。在外击打时，可以通过将两臂聚集在身体的垂直轴周围并使它们朝相反的方向旋转，实现动作。对于侧踢技术，需要围绕下半身的左右轴旋转身体和腿部，并在伸展瞬间让身体和腿部朝相反方向弹开。在这两种技术中，身体会向前倾斜，这是由反作用力产生的效应。特别是在侧踢中，这种倾斜效应非常明显，因此需要巧妙运用支撑腿来保持平衡。

分开格挡、金刚格挡、半山格挡、牛角格挡、展翅和双肘侧击打都是利用双臂同时执行的动作，旨在将力量向外分散。剪刀踢和多方向踢则是同时使用双脚的动作。所有这些动作都是围绕身体的垂直轴进行，产生向外分散的力量效应。剪刀格挡以肘关节的左右轴为中心分散力量，侧冲拳则是沿着肩关节的垂直轴分散力量，而后踢则是围绕下半身的左右轴分散力量。在连续踢击动作中，通过围绕下半身的左右轴产生向外分散的力量，提起膝关节并迅速下拉，可以实现更高、更有力的踢击。通过利用反作用力，可以使腿踢得更高、更有力。

(4) 聚合旋转

聚合旋转与分开旋转类似，不同之处在于旋转的方向是围绕身体的中心轴进行。分开旋转的目的是使在半空中停止并施加反作用力变得容易，而聚合旋转则专注于利用身体部位来攻击目标。例如拉、抓、掌（目标）等技术，通过合并多个身体部位的旋转，可以产生更大的力量和冲击力，相比使用单一身体部位攻击时更为强大。此外，由于身体各部位都集中在中心轴附近（惯性矩），可以更好地保持平衡。

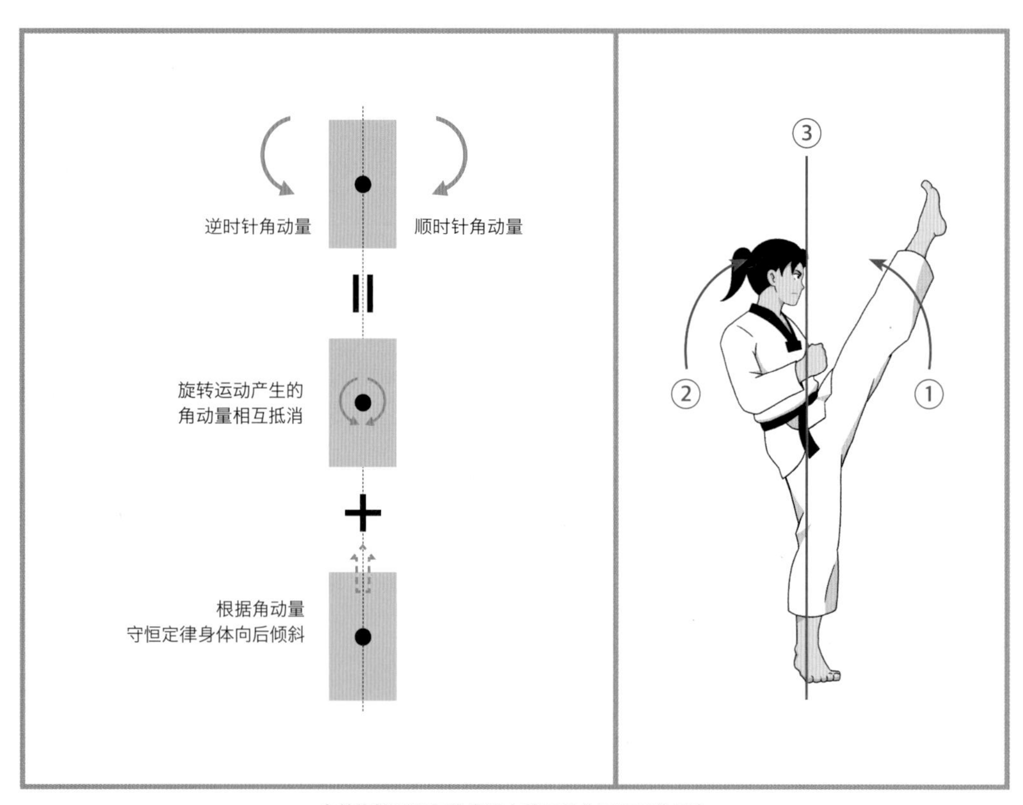

合并旋转原理与跆拳道中前踢的作用和反作用力

使用聚合旋转原理的基本技术是“前踢”。如上图右侧所示，当腿①抬高时，身体②围绕下半身的左右轴自然向前弯曲，以此产生反作用力。这时，当腿①高举并且身体②同时弯曲，会在③方向产生反作用力。这种反作用力给支撑腿施加朝向地面的推力，使平衡更容易。

拉冲拳、对掌冲拳、双拳内击打、拉击打、掌心击打、抓踢和掌心内摆踢等技术利用多个中心轴为基准，将不同身体部位聚合在一起，以传递强大的力量。在内摆踢和双飞踢中，身体躯干和腿部围绕身体的垂直轴扭转，这有助于在动作后更容易保持平衡。另一方面，在并脚踢中，由于要向空中的身体部位施加旋转力，身体会围绕下半身的左右轴向前弯曲产生反作用力。

2
跆拳道
术语和技术体系

跆拳道术语

1 跆拳道术语的标准

(1) 制定标准的背景

过去，跆拳道术语存在不一致和不统一的情况，使得制定新技术术语变得困难，同一技术的命名也不一致。另外，术语过长，导致外国人不知道如何正确发音，也难以记忆。在教本中，对于实战和示范的术语编排整理未完成，导致不同竞赛队或示范队使用的术语不同。面对这种情况，跆拳道术语标准应运而生。

国技院跆拳道研究所于2010年发布了《跆拳道技术词汇表》，并于2019年发布了《跆拳道术语词典》，补充了实战、击破和示范领域的术语。定期修订跆拳道术语的理由是，首先，确保跆拳道教师使用正确的术语。其次，让跆拳道修炼者能准确记忆动作的名称。第三，确保研究跆拳道的学者和跆拳道组织在文献和文件中使用统一标准的语言。

通过跆拳道术语标准的制定和主题词的选定，实现了用语的一致性、统一性和简洁性。扩充了过去教本中未收录的技术方法、技术方向以及一些遗漏的技术。

(2) 跆拳道术语标准和构成原理

基本原则

跆拳道术语遵循“目标+使用部位+方法+技术”的组合原则。这种组合顺序的设计目的是在使用术语时突出技术的精准性，并增加技术的灵活性和扩展性。例如，将“击打”放在前面表示“击打”技术类别，但不能明确该击打技术的具体形式。然而，通过在“击打”前加上表示方法的“内”，就可以明确这是一种“从外向内击打”的概念。将“方法”和“技术”结合起来构成主词，表示最基本的技术单位。本教本总共列出了130余个这样的主词。

为了更准确地表达技术，添加所使用的身体部位是非常重要的。例如，“手刀内击打”明确指示了使用手刀进行内击打动作。进一步扩展，对于特定的目标，比如颈部，可以使用“颈部手刀内击打”来具体描述技术动作。这样的术语可以帮助更清晰地传达技术的动作和目的。

目标

主要目标以省略为原则，必要时按以下方式区分，作动令单独使用。如需要表明详细的目标，也可以添加相应的术语。

- 攻击和防御目标：面部（头部）、躯干、下半身
- 具体目标：面部——人中、眼睛、下巴、颈部、太阳穴
  躯体——胸口、肩部、侧面、背部、臂肘、前臂、手腕
  下半身——丹田、裆部、膝盖、脚背、脚踝

使用的部位

用于攻击和防御技术的部位分为以下几类。

- 格挡：背手腕、外手腕、脚刀、脚刀背、脚背、脚掌、前脚掌、内手腕、小腿
- 冲拳：中凸拳、拳头
- 击打：背拳、膝盖、锤拳、掌根、手刀、手刀背、手背、虎口、臂肘
- 踢：后脚掌、脚尖、脚刀、脚刀背、脚背、脚掌、前脚掌
- 刺击：手尖
- 抽：手腕或身体被抓住的部位

方法

方法按形状、动作、方向划分为以下几类。

▶ 形状

- 手臂: 剪刀、金刚、展开、铰链击、枷相、半山 (半山势) 、燕形、筛架、掌、枷相
- 腿: 剪刀、踮脚、并排、双飞、虎、鹤立
- 躯体: 旋转

▶ 动作

- 手臂: 助手、撇开、交叉、下、下压、拉、转、推、接、立、斜、扣手、上、仰、伸、打、分开
- 腿: 绊、垫、弯曲、交叉、带、勾、下、转、踏、并、退、推、接、踩、并脚、斜、蹲马、原地、踩脚、旋
- 身体: 过、转、跳、斜、弯腰、仰、扭

▶ 方向

- 前、后、外、内、侧 (右、左) 、对角线 (右前、右后、左前、左后) 、上、下

技术

跆拳道技术分为以下几类。

- 站姿: 准备姿势、步伐、特殊辅助姿势
- 移动技术: 步伐、步法、跳跃
- 防御技术: 格挡、抽、躲避
- 攻击技术: 冲拳、击打、刺击、踢、抓、关节技、推、摔法、戳

2 跆拳道术语的应用

(1) 基本方法

区分左右

"步伐" 按照以下标准使用, 其余技术以使用的手臂或腿为基础表示。

▶ 当一只脚站立时, 根据支撑脚表示 "左和右"。这适用于辅助步、鹤立步、膝窝步。
(例: 左鹤立步——左脚支撑站立; 右膝窝步——右脚支撑站立)

▶ 当执行交叉步时, 根据移动的脚表示 "前和后" 和 "左和右"。
(例: 左前交叉步——左脚在支撑脚前交叉站立; 右后交叉步——右脚在支撑脚后交叉站立)

▶ 当进一步向一侧弯曲时, 根据弯曲较多的脚 (承重的支撑脚) 表示 "左和右"。这适用于前弓步和后弓步。
(例: 左前弓步——执行前弓步时将左脚放在前; 右后弓步——执行后弓步时将右脚放在后方。)

▶ 当两腿形态相同时, 根据更靠前的脚指示 "左和右"。这适用于斜并排步、斜马步和前行步等。
(例: 左斜马步——执行斜马步站姿时, 将左脚放在前方)

简洁表现

可以根据术语的广泛使用情况和理解情况，适时省略“使用的身体部位”或“目标”等词语组成部分，以确保术语简洁、易记和符合使用习惯。这样能够提高术语的实用性和普及度。

▶ 使用的身体部位

- 格挡——省略“外手腕”（例：外格挡和下格挡）
- 冲拳——省略“冲”（例：横拳和侧拳）
- 刺击——省略“手尖”（例：立刺击、扣手刺击、仰手刺击）
- 踢——省略“前脚掌”、“脚后根”、“脚背”（例：前踢、横踢）

▶ 目标

- 当以中段（躯干）为目标时，省略“中段（躯干）”（例：横踢、冲拳）
- 当目标为下段（下半身）或上段（面部）时，则需注明目标（例：下段横踢、上段冲拳）

站姿表现

同时体现身体方向，腿部弯曲程度，以及手臂和腿部动作的姿势表达用语可以用作技术指导的动令。

（例：马步躯干冲拳、低姿马步、前弓步手刀内格挡）

(2) 各修炼领域使用方法

品势用语表现

当需要指明确切的目标区域时, 例如在品势的描述中, 可以使用详细的目标。
(例: 上段掌根前击打, 下段手尖仰手刺击)

对练实战用语表现

实战比赛中使用的大部分技术都基于基本踢击技术而来, 如: 横踢、侧踢、下劈、后旋踢等。因此, 相关用法在表达用语释义中会有所体现。
(例: 并步下劈、前脚/后脚反击踢)

击破用语表现

高度和次数表现——不同高度的差异用阶段来表述, 不同击破次数的差异用 “向 (방-bang)” 来表述, 如果太多样而难以表达, 则不表达, 或者用 “多方向踢” 等表述。(例如: 横踢三阶段, 五向剪刀踢)

标准跆拳道术语和技术体系

目标	• 防御和攻击目标: 上段 (面部) 、中断 (躯干) 、下段 (下半身)	
	上段 (面部)	人中、眼睛、下巴、颈部、太阳穴
	中段 (躯干)	胸口、肩部、侧面、背部、臂肘、前臂、手腕
	下段 (下半身)	丹田、裆部、膝盖、脚背、脚踝

使用部位	格挡	背手腕、外手腕、内手腕、脚刀、脚刀背、脚背、脚掌、前脚掌、小腿
	冲拳	中凸拳、拳头、屈指拳
	击打	背拳、膝盖、锤拳、掌根、手刀、手刀背、手背、虎口、臂肘
	踢	后脚掌、脚尖、脚刀、脚刀背、脚背、脚掌、前脚掌
	刺击	手尖
	抽	手腕或身体被抓住的部位
方法	形状	• 手臂: 剪刀、金刚、翅、铰链、枷桕、泰山、半山、燕形、筛架、掌、牛角 • 腿: 剪刀、踮脚、并排、双飞、虎、鹤立 • 躯体: 旋转
	动作	• 手臂: 助手、撇开、交叉、下、下压、拉、转、推、接、立、斜、扣手、上、仰、伸、打、分开 • 腿: 绊、垫、弯曲、交叉、带、勾、下、转、踏、并、退、推、接、踩、并脚、斜、蹲马、原地、踩脚、旋 • 身体: 过、转、跳、斜、弯腰、仰、扭
	方向	• 前、后、外、内、侧 (右/左) 、对角线 (右前、右后、左前、左后) 、上、下
技术	站姿	准备姿势、原地步伐、特殊辅助姿势
	移动技术	步伐、步法、跳跃
	防御技术	格挡、躲避、抽、落法
	攻击技术	冲拳、击打、踢、刺击、推、抓、关节技、摔法

* 基本组词原则: 目标+使用的身体部位+方法+技术 (主词)

2 跆拳道技术与修炼体系

1 跆拳道技术体系

跆拳道技术体系被分为姿势、移动技术、防御技术和攻击技术，对各类技术依据使用部位类别进行了整理。姿势被分类为准备姿势、步伐和特殊辅助姿势；移动技术被分类为步伐、步法和跳跃；防御技术包括格挡、躲避和抽；攻击技术包括冲拳、击打、刺击、踢、抓、关节技、推、摔法。具体如下表所示。

跆拳道技术体系

技术体系	技术	具体技术（主词）
姿势	原地步伐	并步、并排步、马步、鹤立步
	准备姿势	基本准备（基本收势）、抱拳准备、推圆柱准备、叠手准备、实战准备、护身准备、击破准备
	特殊辅助姿势	大铰链击、小铰链击
移动技术	步伐	前行步、前弓步、后弓步、侧步、交叉步、虎步、并步、辅助步、膝窝步
	步法	原地步、前滑步、后滑步、转身步、侧滑步、斜滑步
	跳跃	跳远、跳高、跳越、跳转
防御技术	格挡	下段格挡（下格挡）、中段格挡（内格挡）、上段格挡（上格挡）、外格挡、斜格挡、剪刀格挡、分开格挡、半山格挡、侧格挡、下压格挡、泰山格挡、金刚格挡、牛角格挡、助手格挡、掌格挡、躯外格挡、阻击格挡、交叉格挡
	躲避	斜身躲避、侧身躲避、降低重心躲避、后仰躲避、弯腰躲避
	抽	下抽、上抽、扭抽、转抽、挥抽、双肘外抽
	落法	前方落法、侧方落法、后方落法、旋转滚翻、空中旋转落法

攻击技术	冲拳	正冲拳、反冲拳、立冲拳、仰冲拳、侧冲拳、上冲拳、横冲拳、下段下冲拳、金刚拳、长短拳、拉冲拳、对掌冲拳
	击打	前击打、外击打、内击打、下击打、上击打、侧击打、双肘横击、横击打、后击、燕形击打、拉击打、掌心击打、助手击打
	刺击	立刺击、扣手刺击、仰手刺击、手指刺击、助手刺击
	抓	缠抓、伸抓、上抓
	推	推岩石、展翅、推泰山
	关节技	按擒、拧擒、架擒
	摔法	绊摔、抱摔
	踢	上踢、前踢、横踢、侧踢、后踢、旋踢、下劈、内摆踢、外摆踢、推踢、勾踢、侧身斜外踢、多段踢、掌心内摆踢、踩脚、垫步踢、连续踢、混合踢、两脚交替踢、腾空踢、双飞踢、旋风踢、并脚踢、两脚前踢、后空翻踢、剪刀踢

2 修炼领域体系

跆拳道训练涵盖了五大领域，包括技术、品势、击破、实战和示范。这些领域之间相互关联，共同影响跆拳道训练方法和效果。技术和品势是独立修炼的领域。技术练习始于原地，随后逐渐结合移动动作，强调速度、力量、均衡等因素，以实现技术定型的目标。品势注重动作流畅和美感，培养身体的灵活性和协调性。击破和实战领域旨在培养距离调节、时机把握、反射神经等实战能力。这一过程涉及从固定目标到移动目标的转变，提高了实战技术。从运动学习的角度来看，各修炼领域最终都是为了擅长实战较量，因此，各修炼领域最终都服务于这个目标。同时，跆拳道的修炼领域本身也成为了比赛或文化的一部分，具有固有的意义和作用。

(1) 跆拳道技术——姿势和技术连接

均衡和姿势维持

步伐和准备姿势，包括并步、马步、基本准备和实战准备，对于学习如何稳定地执行站姿和准备姿态至关重要。每个姿态都有其独特的学习价值和意义。虽然辅助步、鹤立步、叠手准备和抱拳准备等步伐和准备姿势由于其特性相对容易掌握，但确保在进一步探索其他功能动作或品势之前对这些基础姿势有深入的理解和实践是至关重要的。基本动作、品势、击破和实战形成了跆拳道训练的基石，这些基本元素构建了整个跆拳道训练体系的基础。**[有效的姿势]**

原地基本动作

跆拳道的许多基础技术通常在原地独自进行。这种练习方式通过结合姿势，让修炼者更好地感知躯干与四肢的运动范围，同时掌握如何有效传导力量的方法。原地学习品势、击破以及实战较量中使用的各种基本动作，是技术修炼的重要阶段。这些基础动作的练习奠定了技术发展和实战能力提升的基础。**[运动范围]**

在多种环境中维持均衡和姿势

在斜面上练习马步、在圆木上进行鹤立步训练，以及在移动的地板上做马步，修炼者可以掌握如何保持平衡并增强稳定性的技巧。在这种不断变化的环境中进行稳定性训练，能够显著地提高修炼者在常规环境中执行各种技术的能力。**[均衡与稳定性]**

在多种环境中的原地基本动作

在各种环境和情况下进行空中的各种基本动作，特别是在不稳定的环境中，保持均衡比静止时更具挑战性。因此，需要学习如何在动态情况下控制动作幅度和技术速度，以保持稳定性和精准性。**[运动范围和速度调节]**

(2) 品势——移动技术与技术连接

移动执行基本动作

这涉及到练习向前、向后、向左、向右、向上和向下移动身体。通过调整步法和跳跃来移动身体的重心，可以有效地调整与对手或目标之间的距离。这一阶段强调在移动中执行预定的跆拳道技术，如四向冲拳和四向踢击这样的基础组合技巧。而对于品势，这一阶段专注于按照预定的模式执行各种动作。**[距离调节]**

移动时执行多种基本动作

这是在空中执行基本动作的学习过程。基于迄今为止学到的技术，修炼者们练习自由品势或者与假想敌进行实战演练。**[节奏]**

各种环境中移动执行基本动作

通过各种方式改变修炼环境，进行基本动作，制定品势和预设实战等训练。在不改变组成动作的前提下，改变方向、变换速度、倒序等方式，可以作为加强现有品势修炼的方法。**[适应各种环境]**

(3) 击破——击破目标的技术

原地击打目标

这是实际体验击打或接触对手的阶段。将脚靶或击破物体固定在原地可以触及的距离，然后使用学到的技术击打或击破。首先可以使用较大的目标，然后逐渐过渡到较小的目标来提高准确性。这包括实战对练练习，即穿戴护具装备并准确击打静止不动的对手。特别是学习如何通过保持中心线来增加有效质量，以及如何提高使用部位的速度，从而在击打时产生更大量冲击力的方法。**[动量传递]**

原地多种技术击打目标

学习针对对手持靶位置的变动，原地灵活运用多种技术准确地击中目标，或修炼者使用任意技术击打固定位置目标的方法。**[均衡调节]**

原地击打匀速移动目标

打击时，需要调整与对手的距离，也需要调整时机，以便恰到好处地使用技术对目标实施打击。可以击打有规律移动的脚靶，或者根据持靶对手的攻击时机执行基本动作。也可以通过将对手换成可击破的物体进行击破训练。连续进行后旋踢并击破木板就是一个典型示例。此外，你还可以采用预定的技术进行一对一的实战练习。**[管理距离和时机]**

移动中击打远处目标

需要学习如何利用单一技术有效地击打对手，而不是同时使用多种技术。执行这项技术，需要使用基本动作击打前后左右上下移动的靶子，或者通过行走或跳跃接近远处的固定目标来执行击打。此时，移动技术不仅起到调整与对手的距离的作用，还具有增加线动量和角动量，从而在击打时实现更大冲击力的意义。**[距离和动量调节]**

原地击打不规则速度移动目标

学习如何击打突然出现的目标，或应对对手的随机技术加以阻止或压制。在这一阶段应积极配合对手的时机或增强反射神经发挥技术。例如，后空翻击打（踢）抛向空中的苹果，或者在一回较量实战的情况下用任意技术应对。**[匹配时机和反射调整]**

移动中运用多种技术击打目标

在这里不仅可以学习同时击打、击破多个目标的技术，还可以学习在移动时连续踢击和同时踢击的方法。在连续踢击时，为了下一个连接技术，可以适当地将运动量分成几次来调整，而同时踢击时，则利用作用-反作用原理，通过调整各部位的有效质量和速度，来控制好运动量。**[运动量和作用-反作用力调节]**

(4) 较量实战——实战技术应用

对移动对手进行应对移动

就像步法较量实战一样，学习如何根据对手的运动，利用反射神经调整距离及使用技术的时机。**[根据对手的动作调整反应和时机]**

对移动对手进行移动应对击打

在这一阶段，你将练习针对以恒定速度移动的目标进行打击，同时学习如何在自身移动中执行特定的技术。这包括采用预定技术进行套路实战和护身术的展示。此外，移动中的连续后旋踢击破也是这个阶段的重要训练内容。**[根据对手的动作调整动量和时机]**

各种环境下对移动对手进行移动应对击打

在跆拳道训练中，这个阶段是最具挑战性的。不论是在与对手的移动中进行技术配合，还是实际较量实战，或者运用各种技术进行自由较量和护身术时，之前阶段所训练的各种技术，如速度和力量的调节、动量的掌控、捕捉正确的时机以及反应速度，都应该在这个阶段综合运用。**[综合运动控制]**

跆拳道练习步骤以及各个练习区域的实现功能

练习区域	练习步骤	实现功能
跆拳道技术 （姿势与技术连接）	(1) 均衡和姿势维持	高效的姿势
	(2) 原地基本动作	运动范围
	(3) 在多种环境中维持均衡和姿势	均衡与稳定性
	(4) 在各种环境中原地基本动作	可动范围和速度调节
品势 （移动技术与技术连接）	(1) 移动时执行基本动作	距离控制
	(2) 移动时执行多种基本动作	节奏
	(3) 各种环境中移动执行基本动作	适应各种环境
击破 （击破目标的技术）	(1) 原地击打目标	传递动量
	(2) 原地多种技术击打目标	平衡控制
	(3) 原地击打匀速移动目标	距离和时机控制
	(4) 移动中击打远处目标	距离和动量控制
	(5) 原地击打不规则速度移动目标	时机和动作控制
	(6) 移动中用多种技术击打目标	动量和作用-反作用力调节
较量实战 （实战技术应用）	(1) 对移动对手进行应对移动	根据对手的动作反应和时机调节
	(2) 对移动对手进行移动应对击打	根据对手的动作动量和时机调节
	(3) 各种环境下对移动对手进行移动应对击打	综合运动控制

3

跆拳道技术

跆拳道基本动作和基本技术

1__ 跆拳道的基本动作

我们需要通过身体的移动完成跆拳道技术，这种身体的移动称为动作。要充分发挥跆拳道技术的优势，无论是手臂（手）技术还是腿（脚）技术，都需要扭腰或弯曲身体，或者连续移动肩关节或臀部关节，从而移动胳膊（手）和腿（脚），实现所需的动作。在特定情况下，例如攻击或防御，根据特定目的有意识地使用一系列动作称为技术，而实现这些目的的能力被称为功能或技能。换句话说，通过不断练习跆拳道技术，确保每项技术都达到其预定目标，不断提高技能水平，这就是跆拳道修炼的过程。

跆拳道拥有多达130项代表技术，涵盖步伐、冲拳、格挡、击打、踢等动作。在这众多的动作中，有五种常见的手臂和腿的动作，随着跆拳道技术的执行而出现，被定义为跆拳道的基本动作。这些动作包括胳膊和腿从后向前伸展，以及从上到下、从下到上、从外到内、从内到外的旋转动作，突显了跆拳道的特质。即，跆拳道的基本动作是通过肩关节和臀部关节"①后→前、②外→内、③内→外、④下→上、⑤上→下"的功能性旋转，连接"腰→臂→手，腰→腿→脚"的伸展或旋转动作。这些动作可以通过改变使用部位（面积和压力），以及动作属性（速度和方向），在跆拳道技术中用于执行击打、格挡和踢等动作。

跆拳道最具代表性的动作包括11种，涵盖手部技术，如"冲拳、中段格挡、外击打、下段格挡、上段格挡"，以及腿部技术，如"前踢、横踢、侧踢、后踢、后旋踢、下劈"。其中，冲拳、侧踢和后踢具有伸展手臂与腿部的动作属性，而其他技术则具有挥动手臂和腿部的动作属性。

跆拳道基本动作的选定标准主要包括功能性、扩展性和代表性。在功能性方面，基本动作必须是跆拳道技术中共同出现的动作。在扩展性方面，基本动作能够通过动作、方向、使用部位的变化衍生出多种多样的动作。最后，在代表性方面，具有象征性和目标性的跆拳道特性最小单位技术被定为基本动作的选定标准。

在功能方面，通过旋转腰部后肩关节和臀部关节的"①后→前、②外→内、③内→外、④下→上、⑤上→下"功能旋转，以及"腰→臂→手、腰→腿→脚"的运动链作用（kinetic chain），进行伸展或旋转能够实现在跆拳道技术中最有效的动作。在扩张性方面，可以充分利用多样的使用部位和多个方向的动作，同时结合使用部位速度最快的动作原理，包括推和伸的动作，以实现多样化和扩展性。最后，在代表性方面，代表性技术可以被视为是介于简单技术与最具挑战性的技术中间的中等难度级别技术，是所有修炼领域常用的象征性技术。（例如，立冲拳 < 冲拳 < 手尖刺击，臂肘横击 < 中段格挡 < 燕手刀内击打，臂肘侧击打 < 外击打 < 内手腕外格挡，下压格挡 < 下段格

挡 < 下段斜格挡, 躯外拉升 < 上段格挡 < 上段斜外格挡, 膝盖上击打 < 前踢 < 腾空前踢, 内摆踢 < 横踢 < 旋风踢, 推踢 < 侧踢 < 腾空侧踢, 推踢 < 后踢 < 腾空后踢, 旋踢 < 后旋踢 < 540度后旋踢, 踩脚 < 下劈 < 反击下劈。)

跆拳道基本动作与各练习领域代表性技术

基本动作				品势	击破（威力、技术）	实战（竞技、护身）
手臂技术（肩关节）	后→前	冲拳	① 冲拳	冲拳 背拳前击打 侧冲拳	冲拳（威） 手尖刺击（威）	冲拳（竞、护） 虎口前击打（护）
	外→内	击打	② 中段格挡	内击打 手刀内击打 双锤拳内击打	手刀内击打（威）	掌根内格挡（护） 横冲拳（保） 臂肘横击（护）
	内→外		③ 外击打	外格挡 背拳外击打 手刀助手外格挡 外手腕交叉分开格挡	手刀外击打（威）	外格挡（竞、护） 背拳外击打（护） 锤拳外击打（护）
手臂技术（肩关节）	上→下	格挡	④ 下格挡	下段格挡 下压格挡	下冲拳（威） 手刀下击打（威）	下格挡（竞、护） 掌根下压格挡（护） 臂肘下击打（护）
	下→上		⑤ 上段格挡	上段格挡 躯外格挡		上格挡（竞、护） 上冲拳（护） 臂肘上击打（护）
腿部技术（髋关节）	下→上	踢	⑥ 前踢	前踢	腾空前踢（技）	前踢（护） 膝盖上击（护）
	外→内		⑦ 横踢	横踢 内摆踢	腾空横踢（技）	横踢（竞、护） 双飞踢（竞） 旋风踢踢（竞） 膝盖横击（护）
	后→前		⑧ 侧踢 ⑨ 后踢	侧踢 后踢 推踢	侧踢（威） 后踢（威） 腾空侧踢（技） 腾空后踢（技）	侧踢（竞、护） 后踢（竞、护） 推踢（护） 脚踝仰前踢（护）
	内→外		⑩ 后旋踢	外击打 旋踢 后旋踢	腾空后旋踢（技）	旋踢（竞、护） 后旋踢（竞）
	上→下		⑪ 下劈	下劈 踩脚		下劈（竞） 踩脚（护）

跆拳道的11个基本身体动作可以视作跆拳道大部分技术的共同分母。通过理解旋转原理，从基础动作开始，并通过实地熟悉身体运动，可以将这些基础动作作为起点，逐步扩展到其他技术。一旦掌握了基本动作的细节部分并进行充分练习，就会发现学习和掌握其他技术变得更加容易。（例如，冲拳 → 扣手刺击，内格挡 → 燕形击打，外格挡 → 锤拳外击打，下格挡 → 手刀下击打，上格挡 → 臂肘上击打，前踢 → 膝盖上击，横踢 → 双飞踢，侧踢 → 腾空侧踢，后踢 → 反击后踢，后旋踢 → 540度后旋踢，下劈 → 反击下劈。）

2 跆拳道的基本技术

跆拳道的基本技术包括基于跆拳道基本动作的运动。这些动作可以在多种练习领域（例如品势、击破、实战）中相互结合，通过站姿、移动技术和躲避技术串联起来。基本技术主要分为两个组成部分：静态基本技术用于品势和实战，动态基本技术则用于实战和击破活动。在实战时，静态基本技术的执行后，需要迅速将使用的身体部位收回，并根据对手的行动决定下一个动作。需要注意的是，竞技实战和护身实战的准备姿势不同。在竞技实战中，修炼者通常会将一只脚向前放置，而在护身实战中，修炼者会采用并排步伐，同时用双臂保护面部。

跆拳道的基本技术是以品势、击破和实战较量修炼领域的代表性技术为基础设置的基本动作。这些动作结合了代表性的站姿、方向转换及移动技术，构成了基本技术。为了有效提高技术水平，建议充分利用各修炼领域的正式运动或集中修炼的准备运动，并通过反复修炼来强化这些运动的概念。

此外，在不同的修炼领域，可以更加实用地制定基本技术，以提高效率。进一步发展基本技术，可以针对不同领域的初、中、高级学员设计新型品势。同时，通过定性区分基本技术的步骤，可以在升段审查时作为评价工具。（例如，1品（段）——正确的姿势，2品和3品（段）——为掌握技术原理的慢速动作连接，4段至6段——快速有力的正确动作，7段至9段——降低重心更缓慢的养生性动作）。

跆拳道基本动作和基本技术之间的关系

基本动作		基本技术		
		姿势 + 基本动作		移动技术 + 基本动作
冲拳	① 冲拳	[基本准备] 1. 马步中段冲拳	[护身准备] 12. 冲拳	
格挡、击打	② 中段格挡	2. 前弓步中段格挡	13. 中段格挡 14. 横冲拳	
	③ 外击打	3. 侧步上段背拳外击打	15. 外格挡	
	④ 下段格挡	4. 前弓步下段格挡	16. 下格挡	
	⑤ 上段格挡	5. 后弓步上段格挡	17. 上段格挡 18. 上冲拳	
踢	⑥ 前踢	[实战准备] 6. 前踢		[实战准备] 22. 前滑步前踢 23. 前滑步腾空前踢
	⑦ 横踢	7. 横踢		24. 前滑步旋风踢 25. 前滑步腾空横踢
	⑧ 侧踢 ⑨ 后踢	8. 侧踢 9. 后踢		26. 前滑步腾空侧踢 27. 后滑步后踢
	⑩ 后旋踢	10. 后旋踢		28. 斜滑步旋踢 29. 前滑步腾空后旋踢
	⑪ 下劈	11. 下劈		30. 前滑步下劈
躲避			19. 弯腰躲避 20. 后仰躲避 21. 斜身躲避	

2 跆拳道技术的类型

1＿ 姿势

(1) 原地步伐

步伐是指为了完成跆拳道的攻击和防御动作，采用脚踏地面的不同姿势。具体来说，步伐的稳定性取决于基底平面的表面积宽度（宽/窄）和身体重心的高度（高/低）这两个因素。双脚张开可以扩大基底平面，而膝盖弯曲可以降低身体重心，使得站姿更加稳定和牢固。相反，双脚贴近可以减小基底平面，膝盖伸展可以将身体重心提高，确保身体重心快速移动并缩短反应时间。在步伐中，可以沿着前后或左右轴线分开双脚，而步伐可以通过是否伸展或弯曲膝盖等不同的标准进行区分。虽然手臂可以自由移动，但身体躯干部分必须保持直立。步伐技术对身体重心的移动产生显著影响，同时双脚的位置和移动会引起各种技术变化。

总体来说，步伐技术的关键在于双脚张开的程度，它对于保持身体重心具有重要影响。由于每个人的身体特征各异，如腿的长短、脚的大小等相对身体的特征不同，因此规定具体的尺寸（cm）来定义双脚之间的距离并不合适。长度单位应根据每个人的身体特征来定义，范围可以从“步长”到“脚长”不等。也就是说，当一个人向前迈步时，我们可以规定为“1步”或“1步半”；当一个人站立时，双脚向两侧分开，我们可以说双脚分开“1脚的长度”、“1脚半的长度”和“2脚的长度”。此外，关于每只脚接触地面的角度，右脚和左脚会有区别，而这取决于视线和身体的朝向。前后和左右的距离可以进行调整，形成不同的站姿，以便积极练习，适应不同情况，并采用根据每个人身体特征优化的高效练习方法。

并步

并步是一种双脚脚刀背完全接触、双膝关节伸直的姿势。它常用于跆拳道品势的开始或结束时, 有助于端正心态、集中精神, 并展现品势中的气势。

•描述: 双脚的脚刀背完全贴在一起, 两膝伸直。

•应用: 主要应用于“立正” 姿势、叠手准备、抱拳准备以及双拳腰间姿势。

※ 在并步中, 如果只是将前脚掌向外摆放, 形成并步时称为“后脚跟并步”; 反之, 如果只是将后脚跟向外开, 形成并步时称为“前脚尖并步”。这样的区分有助于实践中灵活运用, 并掌握在站距向侧面扩展或收拢时如何利用前脚掌和后脚掌快速旋转。同时, 可以通过弯曲和伸直膝盖来锻炼下半身的各种肌肉。

并步

并排步

并排步是一种双脚并列且平行, 两腿膝关节伸直, 身体重心位于中间, 脚刀背相对的姿势。这种姿势有助于使身心平静, 进入准备状态。

- 描述:
  - 双脚之间的距离应等于1只脚的长度, 脚的内侧边缘 (脚刀背) 应互相平行。
  - 两腿的膝关节应伸展。
  - 体重应在两腿间平均分布, 身体重心位于中间。
  - 如果双脚之间的距离扩大到2只脚的长度, 那么就成为了宽并排步。
- 应用: 它被用于静止状态和准备姿势等, 是步伐的基本形式。

并排步

侧视图

马步

马步是一种兼具灵活性和稳固性的站姿，练习这个站姿不仅可以增强双腿的稳固性，还可以提高腰部的灵活性。对于跆拳道修炼者来说，这个站姿的重要作用是通过防止身体重心在前后或左右方向移动，帮助其保持身体的平衡。当身体的重心位置较低时，这个站姿具有很高的稳定性，可以通过有效的动作产生力量和速度，在攻击与防御间感受到气势。一旦修炼者能够在基本的马步姿势中感受到力量的流动并找到稳定的姿势，就应该开始练习将这种力量通过方向转换传递到不同方向，并在集中力量于腿部的同时进行动作。另外，马步的重要作用还在于保持正确的平衡，有助于维持脊椎的正确形态，增强气力和肌肉力量，是熟练掌握腰部使用方法和保持重心的关键步伐。

※ 在跆拳道中，马步通常被认为是至关重要的；将双脚分开得更宽一些的“降低步”被广泛用于提高肌肉耐力。

• 描述：
- 双脚之间的距离约为两脚的长度。
- 脚刀背相互平行。
- 躯干直立，双膝弯曲，站立俯视地面时，膝盖应与脚尖在一条直线上；此外，必须确保小腿直立。
- 膝盖（小腿）向内扣紧。

• 应用:

- 由于身体重心位置较低, 这种站姿具有很高的稳定性, 可用于防御和攻击。
- 可以在这个位置练习各种动作。

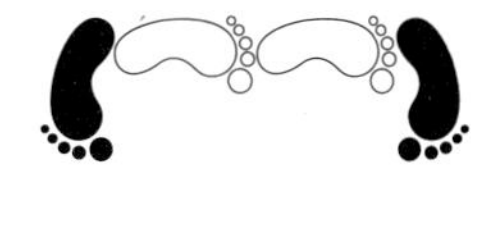

马步

侧视图

放大视图

鹤立步

鹤立步是一种模仿鹤站立的步伐，其特点是弯曲一侧膝关节，降低身体重心，抬起另一只脚，将脚刀背贴在膝盖内侧，用一只脚支撑站立的姿势。采用这种单腿站立的方式，有助于提高身体的重心维持能力和集中力。

• 描述：
  - 将一条腿的膝盖弯曲降低重心，类似马步，同时抬起另一只脚，并将脚刀背贴近支撑腿的膝的内侧。
  - 被抬起的脚的脚尖应指向对角线斜下方，同时膝盖应向内收紧，指向前方。
  - 如果膝盖向外张开，会导致难以维持平衡，并减缓下一次攻击动作的速度。
• 应用：由于这个站姿需要单腿站立，所以对于维持平衡的训练很有帮助；此外，抬起的腿可以立即执行各种踢技，为下一步的攻击提供了便利。

鹤立步

侧视图

(2) 准备姿势

在执行跆拳道技术之前，你可以通过准备姿势来放松身体、控制呼吸、集中注意力。跆拳道中有七种准备姿势，其中四种是专门用于品势的标准化准备姿势，包括基本准备、抱拳准备、推圆柱准备、叠手准备。另外，还有三种准备姿势，分别是"实战准备"、"护身准备"和"击破准备"，可以根据每个人的身体特征自由选择使用。准备姿势有助于为下一个动作做好身心准备，防止由于肌肉过度用力而导致身体僵硬，确保能够自然地进行后续动作。准备姿势可以理解为站姿中将中心线放置在基底平面的中心位置，这样可以保证身体能够防御来自所有方向的攻击。特别是在基底平面较小的情况下，准备姿势能够为快速向不同方向移动提供优势。

基本准备/基本收势

•描述:

- 从并步站姿开始, 将左脚向外移动, 使两脚之间的距离等于一只脚的长度; 接着, 张开双手在丹田前, 掌心朝上, 然后边吸气边缓慢抬手向上至胸口。
- 双手于胸口缓慢向内卷成拳, 然后再向下移动。
- 当身体的重心落在两脚之上时, 应在下腹 (丹田) 前停下双拳, 通过鼻子呼气; 当大约三分之二的气体已经呼出时, 应在保持丹田的紧张和力量的同时站直身体。以缓慢的节奏, 保持专注大约5秒钟。
- 每只拳之间的距离, 以及拳和身体之间的距离应大约等于一只拳的长度。

•应用: 准备姿势与 "收势" 站姿 (用于 "完成所有动作后的整理") 相同——后者也象征着准备步骤, 寓意在整理和集中了杂乱无章的思绪后重新开始。

•口令: 执行此站姿的口令是 "基本准备", 其中 "准备" 是 "执行命令"。所有的跆拳道动作都以 "基本准备" 开始, 以 "基本收势" 结束。因此, "基本准备" 是所有跆拳道预备动作的基础, 而 "基本收势" 代表回到原始站姿的动作。

基本准备

侧视图

抱拳准备

•描述:

- 两脚以并步站立, 缓慢执行动作 (大约5秒)。
- 所有的行为都应与 "基本准备" 相同。
- 将右拳放在丹田前, 用左手包裹, 抬至胸前, 以对角线的形式向斜上推至人中前方。左手拇指张开, 除拇指外的四指应保持相互贴合, 手指卷握成圆包裹右拳加以保护。
- 左拇指应包裹右拳, 并应放在右拇指的指甲上。两臂的臂肘应弯曲形成一个圈, 并向上抬起。
- 两只手应在丹田前形成一个抱拳, 抬高到胸前, 然后向上推, 直到人中前方。

•应用: 用于准备姿势, 这是调整呼吸, 将散乱的心在丹田前聚集, 拉到人中前, 代表着心灵和身体的合一。

•口令: 执行这个步伐的口令是 "抱拳准备", 其中 "准备" 被用作 "执行命令"。

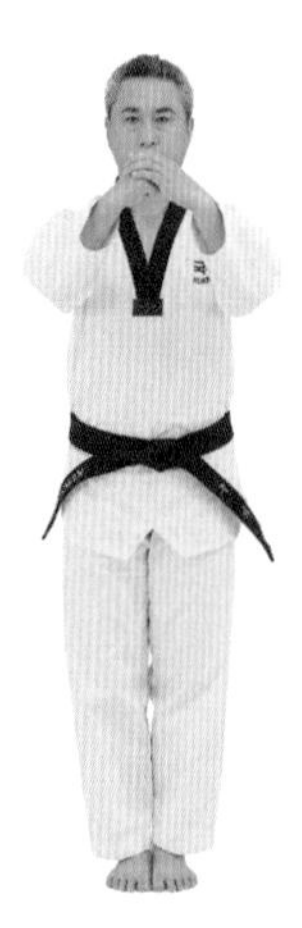
抱拳准备

侧视图

放大视图

推圆柱准备

•描述:

- 两脚的位置应与 “并排步” 相同, 缓慢执行动作 (大约5秒)。
- 双手形成手刀, 自丹田积聚力量, 手掌朝上提拉至胸前, 接着, 形成直立掌心相对的手刀; 之后, 以对角线形态 (斜向上推) 推至颈部前方。
- 当双手向前推时, 手的形状如同握住一个圆柱一样。
- 腕部应向拇指后方弯曲, 使得手尖指向天空, 臂肘应在抬高和向前推动的过程中伸展形成约120度的角度。

•应用: 用于准备姿势, 是将气息和精神聚集在颈部前方守护生命重要要害部位的姿势。

•口令: 执行这个站姿的口令是“推圆柱准备”, 其中 “准备” 被用作 “执行命令”。

推圆柱准备

侧视图

叠手准备

•描述:

- 在这个站姿中, 两脚的位置应与 “并步” 相同。缓慢执行动作 (大约5秒)。
- 重叠的双手 (左手放在右手上) 应保持轻微的紧张。
- 身体姿势与 “立正” 姿势相同, 上身的姿势、目光、精神状态和呼吸管理与 “基本准备” 姿势相同。
- 将左手放置于右手手背上, 呈剪刀形状 (x)。这里, 手指应伸直并相互贴合, 像在手刀中的位置一样。
- 重叠的手象征着将分裂的事物合并成一个实体, 并在一个地方集中分散的思绪。

•应用: 用于准备姿势, 双手张开叠掌的 “准备姿势” 寓意着手的柔软中蕴含强大力量。

•口令: 执行这个站姿的口令是 “叠手准备”, 其中 “准备” 被用作 “执行命令”。

叠手准备

侧视图

放大视图

实战准备

是指比赛前两位选手自由采取的准备姿势。作为进攻和防御准备姿势，是为了应对各种情况而准备进攻和防御。

•描述:

- 在站立状态下握紧双拳，然后将前面的手臂弯曲90° 左右，提高到肩膀的高度，另一只手臂放在胸口一拳距离前，准备立即进行攻击和防御。
- 如果左脚在前，则称为 “右准备姿势”；如果右脚在前，则称为 “左准备姿势”。
- 在与对手对抗状态下，可以使用 “反向姿势” 和 “同向姿势”。
- 肘部自然向下指，站姿可以根据手部和脚部技术所需调整。

•应用: 双拳紧握的准备姿势是坚韧心态和身体的象征。

•口令: 执行这个站姿的口令是 “实战准备”，其中 “准备” 被用作 “执行命令”。

实战准备

侧视图

护身准备

这是在非常近距离的实战情况下，为了自由练习和使用高效多样的技术，双膝略微弯曲的姿势。

•描述：

- 双脚平行，中间隔一只脚的距离站立，双拳轻握，双臂弯曲竖立于肩膀高度。姿势自然的关键是臂肘向下指，放松肩部和臂部的肌肉。在这个站姿中，一只脚向后移动一步，它就形成了“实战准备”姿势。
- 由于不仅只使用拳进行攻击，还会使用如击打、抓、关节技等技术，因此，即使握住拳头，手指也应保持放松。

•应用：

- 用于在近距离面对对手时，提高攻防动作的效率，应对突然袭击。
- 这是一种根据情况而定的实用防御动作，用于对对手造成心理威胁。

•口令：执行这个站姿的口令是“护身准备”，其中“准备”被用作“执行命令”。

护身准备

侧视图

击破准备

这是击破者在击破之前的姿势, 它标志着击破的开始, 并通过 “发声” 表达跆拳道人的顽强精神。主要指技术击破时使用的基本击破姿势。

• **描述**：

- 从并步状态开始, 你应将双脚分开约3.5个脚长的长度, 将身体的重心放在中间, 压低姿势, 挺直腰部。
- 如果左脚在前, 则称为 “右准备姿势”；如果右脚在前, 则称为 “左准备姿势”。
- 以 “右准备姿势” 为例, 双拳轻握, 左手置于胸前胸部的高度, 肘部伸展弯曲约120度, 右手置于左胸前, 与左胸保持较小的距离。
- 视线应直视前方, 而不是朝向地面或天空。
- 根据击破活动的类型, 跆拳道修炼者可以使用各种击破准备姿势。
  (例: 后空翻踢击破准备和手击打击破准备等。)

• 应用: 双拳紧握的准备姿势被用于增强 “完全击破的信心和专注”。

• 口令: 执行这个站姿的口令是 “击破准备”, 其中 “准备” 被用作 “执行命令”。

击破准备

侧视图

(3) 特殊辅助姿势

“铰链击”是一种模仿物体形状的特殊辅助站姿，能够显著增强攻击和防御动作的效果。此外，它在帮助后续技术实现无缝衔接方面具有预备和辅助的作用。一般情况下，它与马步和鹤立步一起执行。

大铰链击

- 描述：是一种帮助后续技术无缝衔接的预备动作。由于这个站姿模仿了铰链的形状，所以得名；这个站姿使用了横冲拳执行完成时的状态。
- 方法：
  - 拳心朝上，将拳背贴合于髂嵴以上的腰线处。
  - 扭转并伸出的拳头应该在其翻转状态下穿过胸口线，并与附着在腰部的拳头相对放置。
  - 扭转并伸出的拳应在距离身体约1拃或更少的距离处悬停。

小铰链击

- 描述：小铰链击，与大铰链击类似，是一种帮助后续技术无缝衔接的预备动作。虽然在大铰链击中，扭转并伸出的拳背朝上，但在小铰链击中，扭转并伸出的拳在腰前拳背朝前。
- 方法：
  - 将拳头定位在髂嵴以上的腰线处，使其底面（拳背）向上。
  - 被举起的手臂，应弯曲臂肘成直角，形成在另一只手（腰线处）的拳头上堆叠锤拳的姿态。
  - 拳背向前，并与放在较低位置（腰线处）的另一只拳头保持较小距离。

一. 鹤立步小铰链击

• 描述: 在此动作中, 从鹤立步开始, 你应采取小铰链击姿势。它是一种帮助后续技术无缝和敏捷流动的预备和辅助动作。

• 方法: 此动作包括将小铰链击应用于鹤立步。

※ 有一种技术同时执行鹤立步和双手小轮击, 还有一种技术在已经采取鹤立步姿势后加入小铰链击。

大铰链击　小铰链击　鹤立步小铰链击

2 __ 移动技术

(1) 步伐

在站立时, 前后距离和左右间距可根据个体身体条件设定一定的允许范围, 以确保能够有效地执行技术。

前行步

前行步是一种向前迈出一步的姿势, 两脚间距为 "1步" 左右, 身体的重心位于中间, 躯干直立。利用行走方向上的重心移动, 可以执行如冲拳和击打等攻击。这个站姿也可以用于防御。

• 描述:
- 以自然步态来确定站立时两脚之间的距离。前脚后跟与后脚尖之间的距离约为1步的长度。
- 两膝保持伸直, 体重平均分布在两腿上。
- 身体保持挺直, 躯干自然旋转 (不超过30度) 以面向前方。
- 脚刀背之间的距离不超过0.5个脚长。
- 由于人体的生理结构, 将后脚的脚掌角度放在一条直线上并非易事。因此, 尽管一定程度上的自然展开姿势是可以接受的, 但应尽量控制这个角度, 不超过30度为宜。

• 应用: 通过快速反应, 攻击和防御可以迅速执行。这个站姿用于移动和方向改变。

前行步

侧视图

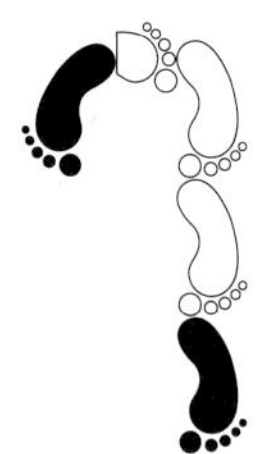

前弓步

在采用这个站姿时，跆拳道练习者需向前迈出一大步，直至膝盖弯曲。这个姿势旨在用于对对手进行攻击或调整与对手的距离。身体的重量由前脚支撑，而后脚用于保持身体平衡。在这种姿势下，两脚之间的间距约为1.5步的长度，而两脚刀背之间的距离约为0.5个脚长。同时，两脚的外边缘应保持在身体外轮廓线的范围内。

• 描述:
  - 站立时前脚的脚尖面向前方。
  - 身体端正，向下俯视地面时，弯曲的膝盖与脚尖在一条直线上。
  - 后脚的内角约为30度；同时，后腿的膝盖挺直，使体重的2/3分布在前。
  - 身体直立，躯干向前旋转约30度。
  - 两脚刀背之间的距离应约为0.5个脚长。

• 应用：一条腿伸直，另一条腿弯曲，这是跆拳道中常见的典型步伐姿势。由于身体的重心前移，这种站姿有利于灵活移动，通常被用于进行攻击和防御动作。

前弓步

侧视图

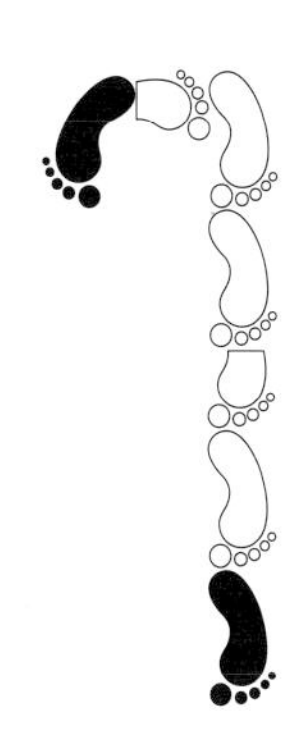

后弓步

“后弓步”是一种跆拳道站姿, 要求修炼者向后迈出一步, 直至膝盖弯曲。这个姿势常用于避开对手的攻击或展开反击。它适合用来抵挡对手的攻击, 并使对手失去平衡。所有的步伐通常以前脚为基准进行命名, 分为“左步伐”或“右步伐”, 唯独“后弓步”是个例外, 它是根据向后迈出的脚确定是“右后弓步”或“左后弓步”。

• 描述:
  - 从并步开始, 以右脚的后脚掌为轴心, 前脚掌应张开90度。
  - 右脚张开90度, 向前移动左脚两脚的长度, 身体端正并旋转约45度, 并通过弯曲双膝降低身体。
  - 当降低身体时, 右膝应与右脚尖对齐, 并弯曲至距离地面60-70度的角度, 左膝应指向前方(与左脚尖对齐), 并弯曲至与地面保持100-110度的角度。以后脚为中心, 眼-膝-脚尖应在一条直线上。
  - 共2/3的体重应落在后腿上, 膝盖不得向内收紧。
• 应用: 这主要是一个防御站姿, “后弓步”在跆拳道中的运用使得修炼者能够自由旋转整个身体, 灵活变换动作, 因为身体的重心向后移动以执行相应动作, 主要依托于后脚来保持平衡和运动。这种站姿的优势在于它能帮助修炼者保持距离, 从而躲避对手的攻击, 或者通过减小防御时的冲击力, 用较小的力量化解来自强大力量的攻击。

后弓步

侧视图

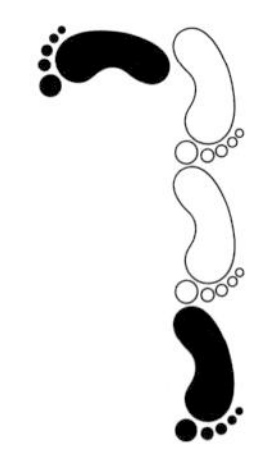

侧步

侧步和前弓步有相似之处。在侧步时, 如果扩大两脚间距并弯曲膝盖, 就会过渡成前弓步。在侧步中, 右脚或左脚会相对于并排站立的位置转动90度, 这有助于执行向左或向右改变方向的技术。两腿的膝关节应保持挺直, 而两脚之间的距离应等于1脚的长度。

一. 右侧步

- 描述: 这个站姿与并排步基本相同, 左脚保持在原位, 右脚需向外转动, 使得前脚掌与左脚形成90度的角度。
- 应用: 当身体从低姿势抬起时, 可用这个步伐来重新调整姿势。另外, 它也适用于一些需要从固定位置改变方向的技术, 如锤拳下击打和背拳外击打。

二. 左侧步

- 描述: 这个站姿与并排步基本相同, 右脚保持在原位, 左脚需向外转动, 使得前脚掌与右脚形成90度的角度。
- 应用: 这个站姿的用途与右站姿相同。

右侧步　　左侧步

交叉步

交叉步指的是保持身体重心较低的情况下, 双腿交叉向前或侧面移动形成的姿势, 分为前交叉步和后交叉步。

一. 前交叉步

在前交叉步中, 以一只脚作为轴, 将另一只脚移过支撑轴脚, 并放在轴脚的脚背之外, 形成一种交叉的站姿。这个姿势常用于侧向移动或旋转时作为连接动作。此外, 它也可以作为自由形态转换的过渡动作, 特别适用于使用小步幅快速改变方向。

• 描述:
  - 这个步伐是在从马步或降低步向侧面移动时形成的。
  - 以左脚 (或右脚) 为轴, 将右脚 (或左脚) 跨过左脚 (或右脚) 的脚背, 使前脚掌的部分踩在对方的小脚趾旁边。在此过程中, 需要保持膝盖弯曲, 让左右小腿形成一个交叉的 "X" 形状, 如剪刀般。
  - 要从完全停止的前交叉步状态开始执行动作, 需要将整个脚掌 (从右脚的前脚掌到后脚掌) 用于将身体的全部重量转移到右脚上。同时, 右小腿与左小腿交叉, 以保持身体的重心。对于左脚, 只有脚掌部分接触地面, 脚跟应该抬起。在这个过程中, 应确保左小腿和右小腿贴在一起, 避免脚间距过宽, 同时注意避免膝盖伸直导致身体直立。

• 应用: 这个站姿用于在执行跆拳道技术时使身体侧移。

右前交叉步　　左前交叉步

二. 后交叉步 (左后交叉步)

这个动作中, 修炼者通过后脚的前脚掌蹬地来提供支撑。当一只脚向前迈步踩脚或者踩脚动作停下来时, 这个动作使双腿的小腿和小腿肚交叉, 形成一种交叉状姿势。这个动作常用于在正面移动中执行打击等动作后, 作为一个结束动作。

• 描述:

- 右前脚向前移动, 左脚随之跟上, 左脚的脚趾接近右脚的脚刀, 然后, 左脚的前脚掌制动, 进入静止站姿。
- 右小腿肚贴着并交叉过左小腿, 形成一个等同于交叉步的站姿。此外, 双腿的膝盖都应弯曲来降低身体。

• 应用: 这个动作用于二次攻击, 如踩在对手的脚背上, 或接近对手。

左后交叉步

后视图

虎步

虎步的名字源于老虎行走时前脚的动作。

• 描述:

- 从并步开始, 用右脚迈一步, 将它放在左脚前面, 距离约为一脚的长度。
- 左脚应张开大约30度, 然而这里要注意的是膝盖不应向外张开。
- 身体重量应由后脚支撑, 膝盖应弯曲, 以便在向地面俯视时, 膝盖和脚尖成一条直线。
- 右脚踝应保持伸展, 轻轻用右脚前脚掌踩地, 膝盖稍微向内扣。
- 大约90-100%的身体重量应由后脚支撑。

• 应用: 这种站姿主要用于防御紧接而来的攻击, 因为可以自由使用前脚 (不承载身体重量) 来部署反击或发动突然攻击。例如, 可以抬起前脚用小腿拦截即将到来的攻击, 然后利用双手进行反击。

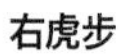
右虎步

侧视图

斜步

斜步是指由并排步迈步转向后向对角线方向站立。体重在双腿之间均等分布，身体的重心在中间。这种姿势有利于攻击对手，或通过侧步躲避攻击。

• 描述:

- 从并排步开始，如向前或向后迈步，则可以区分右和左。
- 如果向前迈出的是右脚，那么这就是右斜步；如果前面是左脚，那么就叫左斜步。

• 应用：由于可以用身体的一侧避开对手的攻击，所以它既用于防御也用于攻击。

斜步

辅助步

辅助步是指跆拳道修炼者用于快速停下来的站姿。当试图在身体快速前移的过程中执行技术时, 便形成这种姿势。一旦停下来, 身体的重量应由前脚支撑, 而后脚则应提供帮助以保持身体的平衡。

• 描述:

- 助力脚的前脚掌大脚趾应接触到另一只脚脚刀背的中心, 助力脚的后脚掌应抬起, 脚踝应伸展, 确保只有前脚掌接触地面。
- 双膝应该弯曲以降低身体重心, 使站立高度与马步的高度相当。
- 身体的重心应放在向前迈出的脚上, 助力脚轻轻踩在地上, 帮助维持身体的平衡。

• 应用: 辅助步用于快速前跑跳跃。在快速前进的过程中停下来时, 很难保持身体的平衡。因此, 为了能够采取稳定的姿势, 应弯曲膝盖以降低身体的重心。

辅助步

侧视图

膝窝步

在这个姿势中, 一条腿弯曲得像马步那样, 在支撑全身体重的同时保持平衡; 另一只脚的脚背贴在支撑腿的膝窝处。

- 描述: 从类似鹤立步的姿势开始, 你应该把抬起的脚的脚背贴在支撑腿的膝窝处。
- 应用: 膝窝步与鹤立步不同。在膝窝步中, 当你试图用单腿制止前进的动量并抓住重心时, 随后的脚的脚背与支撑腿的膝窝接触以提供支持。这个姿势带来了技术上的变化, 使你能够立即向前或向两侧进行踢击动作。

膝窝步

后视图

(2) 步伐

步伐是跆拳道中利用中心轴的移动技术, 用于调整身体重心和方向。它在许多情况下都能发挥作用, 包括向特定方向移动、保持与对手的距离、平稳切换攻防、加速攻击、实施反击或闪避, 以及通过假动作使对手失去平衡。在与对手竞技时, 步伐有助于占据有利的攻防位置。这个动作中, 身体的重量应由前脚掌支撑, 并且在移动和步行过程中, 前脚掌应几乎在地面上滑行。然而, 在特定情况下 (比如, 在练习品势时可能需要从同一地点开始和结束, 或者地面可能太软或不平), 用前脚掌转动可能效率不高, 这时可以利用后脚掌或整个脚掌来实现转动。

原地步

•描述: 原地步是在准备进攻和防御的同时, 调节与对手距离的动作。虽然动作持续进行, 但身体的整体动作位置移动并无太大变化。

•应用:

- 在保持身体的紧张度的同时, 原地轻踏双脚进行调整, 以便在必要时执行相关的技术。
- 这个动作的变化形式包括前脚和后脚的交叉换脚和换势步。

原地步

前滑步

- 描述: 前滑步是为了调整身体重心, 向前迈出一只脚或两只脚的动作。这种动作中, 前脚、后脚或双脚向前移动半步以上。如果前脚先移动, 就称为 "前脚前滑步" ; 如果后脚先向前迈出, 就称为 "后脚前滑步"。
- 应用:
  - 这种姿势用于靠近对手或通过向前迈步攻击对手。
  - 在前滑步中, 前脚掌应该蹬地前进, 同时确保身体的重心不会提高。
  - 脚必须向运动方向直线移动, 并与身体同时移动。

前滑步

后滑步

- 描述: 后滑步是为了将身体重心向后移动, 而将一只脚或两只脚向后退的动作。
- 应用:
  - 躲避或防御对手的攻击并后退保持距离。
  - 用前脚掌踩踏, 弯曲膝盖使身体的重心降低, 然后向后滑步。
  - 前脚跟随后脚滑动, 就像擦过地面的滑步形态一样。

后滑步

转身步

•描述: 为转换方向, 按顺时针或逆时针方向旋转的动作。

• 应用:

- 由于转身步改变了方向, 所以首先必须仔细观察周围的环境。
- 身体的重心由固定脚的前脚掌支撑, 另一只脚迅速移动, 就像是在踢击地面。
- 为了避免失去重心, 此时应注意降低身体重心。

转身步

侧滑步

- 描述: 侧滑步是指为使身体重心向左或向右移动, 单脚或双脚向左或向右移动侧滑的动作。
- 应用:
  - 你应将身体的重心保持在中间, 前脚掌蹬地, 像在地面上滑动一样向左或向右迈步移动。
  - 弯曲膝盖降低姿势, 以免失去重心。

侧滑步

斜滑步

- 描述: 斜滑步是指左脚或右脚沿对角线轴斜向迈开或后退的动作。通常, 当向左前方或左后方移动时, 左脚先移动, 当向右前方或右后方移动时, 右脚先移动。
- 应用:
  - 这种姿势主要是为了避开对手的攻击, 或者找到一个有利于进攻对手的位置。
  - 这是移动到对手背后或是对方不易进行攻防的地方的动作。

斜滑步

(3) 跳跃

跳跃是为了能够灵活运用跆拳道的技术动作，将身体从下往上跳起的动作。这种动作通常伴随着攻击高或远的目标或躲避对方的攻击技术，也可以包括横向或纵向全身旋转一圈以上的动作。

跳远

跳远是为了用拳头或脚攻击在原地无法触及的远方目标，而蹬地使身体跳远的动作。

跳高

跳高是为了用拳头或脚攻击在原地无法到达的高处的目标,将身体从下往上跳跃的动作。

跳高

跳越

跳越是为了用拳头或脚攻击障碍物对面的目标物，而跳过障碍物（如人或物体）的动作。

跳越

旋转跳

旋转跳是指在空中向横向、纵向、侧向或某一方向旋转一圈以上的动作, 能以多种方式攻击高低不同的多个目标, 同时, 也能在空中躲避对手的攻击。

旋转可以有多种使用方式, 具体根据旋转方向与不同的技术相结合。水平旋转用于诸如旋风踢和540度后旋踢等技术。垂直旋转用于后空翻前踢和前空翻下劈等技术。对角线转身用于斜后空翻前踢等技术。侧身旋转用于侧空翻侧踢等技术。

旋转跳

3 防御技术

(1) 格挡

在跆拳道中，格挡是指保护身体重要部位免受对手攻击的技术。尽管跆拳道修炼者有时可以选择躲避对手的攻击，但并非总是最佳选择。当他们无法规避攻击，被迫用身体抵挡时，就应该运用格挡技巧来自我防御。躲避可能是一种较为被动的策略，但它是避免与对方直接对抗的重要方式，即使修炼者有能力直接对抗对手。那些选择躲避以避免冲突的修炼者通常表现得沉稳、冷静、有风度。而那些选择用格挡技巧对抗攻击的修炼者则更为主动和勇敢。然而，如果没有足够的技术和训练而试图进行格挡，这种做法是不明智的。

当跆拳道修炼者能够准确地格挡住任何快速而有力的攻击时，他们在比赛中获胜的机会将显著增加。然而，即使掌握出色的格挡技术，修炼者仍可能因无法抵挡对手连续的强攻而败下阵来。因此，修炼者应根据比赛的具体情况灵活运用跆拳道的防御技术。特别是，他们应加强手刀和手腕的训练。这样，在格挡过程中，不仅可以防守，还能有效地打击对方的要害，限制对手的进攻能力。这意味着，跆拳道修炼者不仅要重视攻击技术的训练，还要确保防御技术得到充分锻炼，使其能迅速将防守转换为攻击。

在跆拳道中，握紧时坚实、张开时锋利的身体部位通常用于攻击技术，而较长（即四肢）且坚实的身体部位则主要用于防御技术。在具有稳定身体重心的姿势中使用格挡技术最为有效。用腿或脚进行格挡的优点在于可以利用坚实的身体部位。然而，当使用腿或脚进行格挡时，跆拳道修炼者可能会在保持平衡和移动身体方面遇到困难，因为在这种格挡中必须用一条腿保持身体重心。这可能会带来巨大的风险。因此，两只手臂必须始终做好准备，随时提供帮助。两条腿应该用来保持身体的重心，两只手臂应该用来执行格挡技术。原则上，在手腕格挡中，只能使用一只手腕格挡对手的攻击。从基本原理上来说，关于内手腕和外手腕的选择，用于格挡的应主要是外手腕。此外，关于手刀格挡，虽然手刀的动作很锐利，但由于存在手腕关节，格挡力量会损失一部分，因此效果上会打折扣。

原则上，执行手腕格挡时，只应使用一只手腕去格挡对手的攻击；在其他手腕跟随格挡手腕提供协助的情况下，就被形象地称为“助手格挡”。此外，执行手刀格挡时，两只手必须同步移动。当只用一只手刀就能自信地执行坚实的格挡时，这个动作就得到了一个新名称：手刀格挡，且可以有两种形式。一是中格挡——从外部开始向内格挡对手的攻击；二是外格挡——从内部开始向外格挡对手的攻击。执行这种格挡技术的标准如下所述。

身体基准线

※ 格挡完成位置的相关规定如下:
- 下格挡 (使用手腕和手刀) 需通过下丹田前方, 到达大腿中心线时停止。
- 内格挡, 从外部向内格挡, 在身体的中心线前格挡对手的攻击。
- 外格挡, 从内部向外格挡, 以身体的外廓线作为移动的终点进行格挡。

※ 格挡的位置和高度的相关规定如下:
- 使用紧握的拳头格挡对躯干的攻击时, 手腕应位于胸口线。(拳头的最大允许高度是肩线)
- 使用手刀格挡对躯干的攻击时, 手刀应位于胸口线。(手尖的最大允许高度是肩线)
- 使用手腕或手刀格挡对面部的攻击时, 手腕/手刀应位于人中线。(手腕和手刀的最大允许高度是 “面部上方” 线)

※ 格挡的起点有如下规定 (执行格挡技术时, 必须最大化运动范围):
- 格挡对身体下部区域的攻击时, 锤拳或手刀应从起点 (即肩线前) 开始下降。
- 格挡对躯干区域的攻击时, 执行格挡动作的身体部位应于腰线和肩线之间大幅度移动。
- 格挡对面部区域的攻击时, 执行格挡的部位应从腰线位置开始向上动作。值得注意的是, 在实战中使用这些技术时, 执行格挡的身体部位的高度或位置可能会有所偏差。

下格挡

下格挡是从上到下阻挡对方攻击的动作，是比对方攻击技术更高的地方进行击打或下压的技术。当对手攻击正面腹部或身体内侧等时，使用外腕、手刀等从上到下或向外击打或将其推开的技术。

一. 下段格挡

- 描述：在此技术中，对手的攻击被巧妙地引导偏离。这是一个专门针对身体前部的防御动作，对方正面攻击时利用外手腕从上到下的技术，将对方攻击格挡出身体范围。
- 方法：
  - 弯曲格挡手臂的肘关节，以使锤拳位于另一侧的肩线前；重要的是要确保臂肘没有抬得太高。随后，应该通过自然的向下运动格挡对手的攻击。
  - 对侧的辅助手拳心向下，臂肘自然弯曲并伸展至身体中线前。
  - 在执行向下运动时，肘关节不应抬得太高；重要的是要确保胸部和肩部不过度紧张。随后，应从上方快速向下移动至丹田位置以格挡对手的攻击。
  - 格挡臂的拳应通过丹田，弯曲臂肘，停在大腿上方，略向内处。
  - 执行格挡动作时，辅助手的手腕应仰拳拉至腰线上方的髂嵴处。

二. 手刀下段格挡

- 描述：手刀下段格挡是利用单手刀，自上而下阻挡对方从身体正面进攻，并向身体外侧击打的技术。
- 方法：此技术与下段格挡相同，唯一的区别在于格挡的身体部位（即，使用手刀来执行格挡）。

下段格挡　　手刀下段格挡

内格挡

在执行内格挡时，跆拳道修炼者从身体外部开始用手、脚、臂或腿向内部移动，格挡对手的攻击技术。当对手从自己身体前部或外侧发动攻击时，这项技术显得尤为重要。它包括了融合腰部扭动以及运用身体不同部位，如"外手腕、手刀、掌根和脚刀背"，来击打或偏转对手的攻击。在执行内格挡时，格挡的身体部位需要抵达身体中线才算完成，但击打或偏转的力量需穿过基准线。

一. 中段（躯干）格挡

• 描述：利用外手腕向内这是一种代表性的防御技术，使用外手腕来偏转对手的攻击。它朝向对手的躯干，从外部开始内部移动。原则上，使用腰部旋转产生的扭矩来格挡对手的攻击，同时移动同侧的手臂和腿。
• 方法：
  - 格挡的手腕应该提升到肩线高度，臂肘放松并弯曲，手腕外转，为执行格挡做好准备。
  - 此时辅助手将肘部自然弯曲，使拳背朝向对角线上方，向中心线前方伸展，为应对下一状况做好准备，并形成可以快速拉伸的状态。
  - 格挡手臂的手腕应该与身体的中心线对齐，腰部带动臂肘向内拉。格挡的手腕应该位于胸口前面，拳头的最大允许高度为肩线，臂肘打开的角度为90-120度。
  - 在执行该技术时，躯干和手臂应该伴随着骨盆和腰部的扭动自然向内转动；格挡不应该只靠肩部或手臂的力量进行。
  - 执行格挡动作的手腕不能弯曲，辅助手仰拳拉至腰部髂嵴上方。

后弓步中段格挡

前弓步中段格挡

二. 手刀内格挡

•描述: 手刀内格挡是使用手刀向内击打对方向躯干袭来攻击的防御技术。是一种扭动腰部, 将同一侧的手臂和腿移动至前方, 以进行有效的格挡的技术。

•方法:

- 这种中段 (躯干) 格挡技术的基本位置在身体的中心线上; 手尖应放在胸口前面, 手尖的最大允许高度为肩线。
- 这种格挡方法与中段格挡的方法基本相同, 唯一的区别在于这项技术中使用手刀进行格挡。

三. 掌根内格挡

- 描述: 掌根内格挡是使用掌根将对方从上段 (面部) 或中段 (躯干) 袭来的攻击向内击打格挡的技术。躯干和格挡手臂的动作与中段 (躯干) 格挡的动作相同。
- 方法:
  - 躯干向后扭转, 随后向胸口前击打格挡。
  - 掌根位置应与胸口对齐, 手尖指向斜上方。
  - 使用掌根时, 手腕应该向后仰, 以强力格挡。

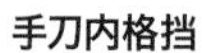

手刀内格挡

掌根内格挡

上格挡

上段格挡时将对方的攻击向上阻击的技术, 对方朝向面部攻击时, 使用外手腕或手刀等向上阻击的格挡技术。基本上, 这种向上的动作起始于腰线。但通过大量练习熟练掌握这一技术后, 能够根据对方攻击的速度和方向, 将起始动作于腰线以上的地方发挥出快速有力的技术。

一. 上段格挡

•描述: 是在对方攻击面部人中时, 使用外手腕向上阻击的技术。

•方法:

- 格挡手臂仰拳从对侧手臂臂肘以下的腰线处开始上移。与此同时, 对侧的辅助手臂的拳背朝上, 从对侧的肩线前方开始下移。
- 格挡手臂利用腰部使身体快速旋转, 带动手腕移动至面部中央线。
- 使外手腕格挡至人中前部, 于额前一拳左右间距, 高度维持在面部末端线位置。
- 辅助手的手腕仰拳向后拉至髂嵴上方的腰线。
- 格挡手臂的臂肘低于手腕, 从而形成一个斜角以阻击格挡。

二. 手刀上段格挡

•描述: 手刀上段格挡是使用单手刀向上阻击对方向面部攻击的技术。

•方法: 此技术和上段格挡基本相同, 唯一的区别就是用于格挡的身体部位 (手刀上段格挡使用手刀进行格挡)。

上段格挡

手刀上段格挡

三. 拉上格挡

- 描述: 拉上格挡是使用内手腕, 阻击对方从正面小腹方向袭来攻击的格挡技术。

- 方法:
  - 当对手使用踢击时, 应迅速折叠低位手臂, 用内手腕抬起对手的脚踝或小腿。
  - 根据实际情况, 将站位从正面转为侧面, 或者在施展这技术时向后滑移一步, 可能更具策略性。
  - 辅助手在腰部拧转时弯曲臂肘抬起至胸口线前方, 执行拉上格挡的同时, 向后拉至髂嵴上方的腰线。
  - 拉拽的同时拧转腰部, 手、身体和腿的动作要一致。

拉上格挡

外格挡

外格挡是使用手或脚、手臂或腿从身体内侧向外侧阻击格挡的技术。当对手从自身的外侧或前方攻击袭来时, 通过“内手腕、外手腕、手刀、手刀背、下弯手腕和腿”等部位, 由内向外执行阻击格挡。外格挡技术完成的标准是于身体外廓线处偏转或挡开攻击。

一. 外格挡

•描述: 使用外手腕将向躯干袭来的攻击, 通过由内向外扭转阻击格挡的技术。

•方法:

- 格挡的手臂要从辅助手臂的臂肘下方经过。
- 在腰线与肩线之间的可活动范围内, 应使用大幅度的动作来抵挡对手的攻击。
- 格挡用的外手腕应以对角形式向外移动, 以格挡对胸口线的攻击, 拳头最大允许高度是肩线。
- 这里, 辅助的手应形成一个向外指的锤拳, 从肩线前的起始位置有力地拉至髂嵴上方的腰线位置。
- 由于在此技术中用于格挡攻击的身体部位是外手腕, 所以修炼者的动作应旨在以合适的握拳姿势扭转和偏转攻击, 并确保其始终与躯干保较近的距离, 肘关节保持90 - 120度的角度。
- 另外, 由于在此技术中使用外向动作来格挡对手的攻击, 外手腕应达到身体的外廓线, 肘关节自然指向下方。须确保臂肘不会因过度紧张而向内转, 以确保腕部到达身体的外廓线。

二. 上段外格挡

- 描述: 上段外格挡是使用外手腕将向面部袭来攻击转向身体外侧, 并将其于面部高度阻击格挡的技术。
- 方法:
  - 此技术的执行与外格挡相似; 在执行此技术时, 关键是确保腕部与面部的人中线保持在同一高度。
  - 在格挡攻击时, 用于格挡的外手腕应通过面部的人中线前方。
  - 由于此技术包括一个外向格挡的动作, 外手腕应向外移动, 直到它到达身体的外廓线; 从正面看, 格挡技术不应导致面部被遮挡。

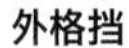

外格挡

上段外格挡

三. 手刀外格挡

•描述: 手刀外格挡是使用单手刀将向躯干袭来攻击由身体内侧向外侧扭转阻击格挡的技术。

•方法:

- 此技术与内手腕外格挡基本相同, 但格挡的手刀手掌朝上, 从辅助臂的臂肘下方划过。
- 格挡用的手刀应在胸口线成对角线格挡攻击; 手刀尖的位置不高于肩线。
- 手刀用来格挡对手的攻击时, 不应向后弯曲; 应保持在与躯干适当的距离内, 肘关节应维持在90-120度的角度。
- 此外, 由于此技术是用来以向外的动作格挡攻击, 手刀应达到身体的外廓线, 臂肘需自然指向下方。须确保臂肘不会因过度紧张而向内转, 以确保手刀到达身体的外廓线。
- 此技术也用于将格挡与后续动作相结合, 涉及抓或架的技术。

四. 内手腕外格挡

• 描述: 内手腕外格挡是使用内手腕将向躯干袭来攻击由身体内侧向外侧扭转阻击格挡的技术。

• 方法:

- 此技术与外格挡基本相同, 但格挡的手臂拳背朝上, 从辅助臂的臂肘下方划过。
- 手腕位置应保持在胸口线上, 拳头末端位置不超过肩线。
- 格挡时手腕应保持在离躯干适当的距离内, 肘关节应保持90-120度的角度。
- 由于该技术用于以向外的动作格挡攻击, 内手腕应达到身体的外廓线, 肘关节需自然指向下方。须确保臂肘不会因过度紧张而向内转, 以确保内手腕到达身体的外廓线。

手刀外格挡

内手腕外格挡

斜格挡

斜格挡是一种通过扭转身体并运用与前进脚相反的手臂, 用于阻挡对手攻击的动作。相比于外格挡, 它需要更大程度的身体扭转。当右脚向前迈步时, 使用左手进行斜格挡; 当左脚向前迈步时, 则使用右手。这种技术的特点是腰部的转动, 使得后续技术可以更快地执行。

一. 上段手刀斜外格挡

- 描述: 上段手刀斜外格挡虽与手刀斜外格挡相似, 但它是一种可以通过拧转身体, 以手刀将对方向面部袭来的攻击向外阻击或抓住的技术。
- 方法:
  - 在格挡攻击时, 手刀应当穿越面部的人中线, 确保其位置与人中线对齐。
  - 通过大约45度的身体扭转, 使得手刀可以挡住攻击直至身体的外廓线。
  - 由于此技术是用来以向外的动作格挡攻击, 手刀应达到身体的外廓线, 肘关节需自然指向下方。

※ 不仅有上段手刀斜外格挡技术, 还有手刀斜外格挡技术。

上段手刀斜外格挡

手刀斜外格挡

二. 内手腕斜外格挡

• 描述: 内手腕斜外格挡是一种通过使用前进脚相对的手臂来执行的防御技术, 即当左脚前进时用右臂格挡, 反之亦然。在这项技术中, 身体应该进行大约45度的扭转, 利用内手腕从内向外阻挡格挡对手来自正前方的攻击。

• 方法:
  - 内手腕斜外格挡与内手腕外格挡相似, 但是身体需要更大的扭转, 以格挡对手的攻击。
  - 内手腕应保持在离躯干适当的距离内, 肘关节应保持90-120度的角度。
  - 由于该技术用于以向外的动作格挡攻击, 内手腕应达到身体的外廓线, 肘关节需自然指向下方。须确保肘关节不会因过度紧张而向内转, 以确保内手腕到达身体的外廓线。

内手腕斜外格挡

剪刀格挡

• 描述: 在执行剪刀格挡时, 跆拳道修炼者使用一只手臂的内手腕执行中段外格挡, 同时, 另一只手臂的外手腕执行下格挡。这个动作的名称来源于其与剪刀运动的相似性。

• 方法:

- 下格挡手臂的拳头应位于相对手臂的肩线前方, 中段格挡手臂臂肘弯曲,背拳拳背应指向上方, 并放置于下格挡手臂的臂肘下方。
- 扭转腰部使双臂同时交叉于胸前执行格挡。

剪刀格挡

反复剪刀格挡

交叉分开格挡

交叉分开格挡是指在对方从两侧进行攻击时, 使用双手腕交叉的方式, 将双臂的力量向两侧扩展, 同时使用内手腕、外手腕、手刀、手刀背等来进行格挡, 而不需要扭动躯干。

一. 交叉分开格挡

• 描述: 外手腕交叉分开格挡技术的核心在于集中力量于双外手腕并从内侧向外展开。当对手试图包围身体或使用双臂紧抓肩膀时, 此技术有效地用于阻击格挡对方的攻击。
• 方法:
  - 双臂在胸前充分交叉, 拳头的底部应面向躯干, 以便手腕做足够的扭转准备。
  - 这项技术通过交叉动作积蓄力量, 并迅速转动手腕以向外抵挡对手的攻击。
  - 执行此技术时, 需要小心避免在完成格挡动作时, 外手腕超出身体的外廓线。另外, 也需要确保拳尖不超过肩线。
  - 为避免手肘被抬高或向外展, 应确保手肘自然地朝向下方。

二. 下段交叉分开格挡

• 描述: 下段交叉分开格挡是一种通过同时将两外腕向外张开至下半身外侧, 以阻击对手从两侧攻击或试图缠绕的手臂格挡技术。
• 方法:
  - 这项技术应像执行 "外手腕交叉分开格挡" 那样双臂同时运动。
  - 双拳从肩线高度开始, 在胸前充分交叉, 于丹田前方分裂积蓄的力量, 用外手腕向身体外侧阻击。
  - 在完成技术执行时, 双手腕应与大腿保持约一拃的距离, 格挡手腕应大致位于大腿前方。
  - 拳应斜向沿对角线向下阻击, 避免拳过度直立或弯曲。
  - 可以根据情况快速或缓慢的执行。

三. 内手腕交叉分开格挡

•描述: 内手腕交叉分开格挡用于将力量聚集在双内手腕, 从内侧开始向外展开。当对手使用双手抓住胸部或推胸部时, 通过阻击对手的双臂来格挡对手的攻击。

•方法:

- 执行内手腕交叉分开格挡时, 双臂应同时运动, 双臂在胸前充分交叉, 拳头的底部朝外, 以便手腕做足够的扭转准备。
- 这项技术涉及利用手腕的交叉动作来聚集力量, 随后迅速旋转内手腕实施向外的阻击格挡。
- 在完成格挡技术的动作时, 必须小心避免内手腕超出身体外轮廓。此外, 务必确保拳头不高于肩线。为防止手肘过分向内扣, 应自然地使它们指向下方。

交叉分开格挡　　下段交叉分开格挡　　内手腕交叉分开格挡

四. 下段手刀交叉分开格挡

• 描述: 下段手刀交叉分开格挡是一种将两手手刀向下半身伸出, 通过向外张开的力量, 从下半身高度向两侧阻击对手的攻击或试图缠绕的手臂格挡技术。当对手攻击身体的两侧或包围身体时, 这种技术可用于阻击格挡对手的攻击。

• 方法:

- 执行此技术的方式与执行 "下段交叉分开格挡" 相似。
- 在这里, 手刀不应过度伸直或压平 (即不应该使手背从前方可见), 而应该顺着对角线路径向下击打。
- 当以慢节奏执行技术时, 动作应保持大约五秒。

五. 手刀背交叉分开格挡

• 描述: 手刀背交叉分开格挡技术涉及将双手手刀背从内向外展开。当对手试图双手环绕身体时, 这一技术可用于阻击格挡对方的攻击。

• 方法:

- 执行此技术的方法与执行 "内手腕交叉分开格挡" 的方法相同。
- 手尖的高度不应超过肩线。

手刀下段交叉分开格挡

手刀背交叉分开格挡

半山格挡 (=半山形格挡)

半山格挡是当对手从两侧同时攻击面部和下半身时, 用双臂同时侧向阻击格挡的技术。一般情况下, 会在典型的前弓步姿势上稍作转动, 使用前手执行“上段内手腕侧格挡”, 另一只手执行“下段外手腕侧格挡”。在此技术中, 也可以使用不同形式的展开的手部动作 (手刀背、手刀) 进行格挡。在此过程中, 视线应集中在执行侧格挡的身体一侧。

一. 手腕半山格挡

•描述: 手腕半山格挡是一种用于防御面部或躯干侧面或同时针对下半身的攻击的防御技术。在此技术中, 一只手格挡面部侧面的攻击, 另一只手向下阻击以格挡对下半身或身体侧面的攻击。

•方法:

- 当格挡对手针对身体上部的攻击时, 应将手抬至髂嵴上方的腰线以上, 这与中段的手腕外格挡技巧相似。而对于身体下部的攻击, 格挡的手应从肩部前方开始往下移动。在防守过程中, 两只手可以在胸前交叉, 然后向两个方向 (上、下) 分开, 从而有效格挡对方的攻击。
- 当格挡动作完成时, 为抵御对方针对身体上部的攻击, 应用手臂在身体的中心线上形成一个直角, 确保使用合适的身体部位进行有效防守。而对于下部的攻击, 手臂应沿胸口和肋腹部滑过, 确保在完全格挡时, 手的位置距离大腿大约是一拃的距离。

二. 平手半山格挡

•描述: 平手半山格挡是当对手从两侧向面部和下半身攻击时, 用双手同时侧向阻击格挡的技术。

•方法:

- 此技术的执行方法与 “半山格挡” 相同, 只是手要展开伸平格挡。
- 通过使用手刀背执行上段侧格挡来抵挡上部攻击, 而利用手刀来执行下段侧格挡以防御下部攻击。
- 当以慢节奏执行技术时, 动作应保持大约5秒。

手腕半山格挡　　平手半山格挡

侧格挡

侧格挡技术在两脚距离加宽张开的姿势中使用, 如并排步或马步。是利用各种手的使用部位 (如: 内手腕、外手腕、手刀、手刀背等), 从外向内、从内向外阻击格挡对方从身体侧面袭来攻击的技术。

一. 侧格挡

- 描述: 侧格挡是当对手从侧面攻击面部、躯干或下半身时, 使用外手腕来阻击或躯外格挡的技术。
- 方法:
  - 在防御面部时, 外手腕应在人中线高度格挡攻击, 在防御躯干时, 应在胸口线高度格挡攻击。拳的最大允许高度是肩线高度, 在格挡下部区域的攻击时, 拳应停在大腿旁。
  - 在格挡向面部或躯干袭来的攻击时, 应防止肘关节过于向前, 以确保外手腕与身体并排成一直线。
  - 在格挡对下半身侧面的攻击时, 手腕应保持距离前大腿线一拃的距离, 以使格挡动作可以自然朝下。

※ 内手腕侧格挡: 此技术用内手腕格挡对面部和躯干侧面的攻击。

上段侧格挡

侧格挡

下段侧格挡

二. 手刀侧格挡

- 描述: 手刀侧格挡是一种防守技巧, 通过使用手刀, 可以偏离、推开或阻击对方针对面部、躯干及下半身侧面的攻击。
- 方法:
  - 该技术的执行方法与 “外手腕侧格挡” 基本相同, 只是使用手刀部位阻击格挡对手的攻击。
  - 该技术不只是简单地偏移或推开阻击对手的攻击, 还可以利用此技术抓住对手的同时, 为接下来的反击创造机会。
  - 在执行侧格挡技术时, 关键是同时扭动腰部并进行格挡。确保手腕保持稳定, 避免向后弯曲。手刀保持对角线形态, 臂肘自然指向下方不向上抬起。

※ 下段手刀侧格挡: 执行该技术时, 手刀应以对角线向下的方式进行格挡, 是手刀向下侧向阻击格挡的技术。

上段手刀侧格挡　　**手刀侧格挡**　　**下段手刀侧格挡**

下压格挡

在执行下压格挡时，通过使用诸如“掌根、外手腕和手刀”等身体部位，从比目标更高的位置向下压制阻击对手针对躯干的的攻击。

一. 掌根下压格挡

•描述：掌根下压格挡是一种使用掌根从上至下压制阻击格挡对方正面进攻的技术。

•方法：

- 格挡掌根竖立，臂肘提升至胸口线高度。
- 辅助手应有力地拉向髂嵴上方的腰线，掌根应向胸口前方下压以有效地格挡对手的攻击。
- 根据实际战斗情境，可以考虑将站姿从正面转为侧面，或在执行此技术时进行后滑步，从而提高格挡效果。
- 在应对攻击发挥技术的瞬间捕捉很重要，在执行过程中，要确保肩部不被抬得过高，且保持连续的动作流畅性，避免中途停顿。
- 在格挡的瞬间，肘部和掌根必须形成一条水平线。

掌根下压格挡

泰山格挡/山型格挡

泰山格挡是用内手腕和外手腕或两个内手腕同时进行侧挡的技术。对于从两侧袭来的面部攻击, 顺时针或逆时针方向, 一只手臂使用“上段内手腕侧格挡”, 另一只手臂使用“上段外手腕侧格挡”, 是像山字型一样同时进行侧格挡的技术, 也可以使用手刀和手刀背等进行阻击格挡。在格挡的状态下, 双臂的手腕要位于人中的高度。做内格挡的手臂从后向前挥动, 以内格挡形式开始, 做外格挡的手臂从前向后挥动, 以上段内手腕侧格挡的形式开始, 躯干向一个方向旋转, 两个手臂的技术同时发挥。

一. 泰山格挡

• 描述: 当对手同时攻击身体的前后两侧时, 向前迈步一侧的手用外手腕向内格挡, 轴心脚一侧的手用内手腕向外格挡。

• 方法:

- 虽然轴心脚应该以前脚掌转动, 但后脚掌不应该抬得过高。
- 内手腕格挡的手臂应经过面部前方并形成直角格挡。
- 执行上段中格挡的手臂活动范围较大, 应从后方开始向前摆动格挡。
- 格挡时, 两拳应竖直举起, 两臂的臂肘应保持约90度的角度, 以直角格挡。
- 该格挡技巧的实施应当与步伐动作同步完成。

二. 交叉分开泰山格挡/上段双手内手腕侧格挡

•描述: 交叉分开泰山格挡是一种使用双臂内手腕, 由内向外进行上段侧格挡的技术。

•方法:

- 两腕在腰线位置交叉, 形成一个 "X" 型态。随后上抬至肩部前方, 然后在面部前方向两侧展开。这一动作仿佛是在推开对手, 旨在拦截并防御来自两侧的攻击。
- 当执行格挡动作时, 两只手腕应该进行旋转并位于于人中线高度。
- 两只手臂应与肩线位置平齐, 两只手臂的臂肘应保持大约90度的角度, 以直角格挡。

泰山格挡

交叉分开泰山格挡
(=上段双手内手腕侧格挡)

金刚格挡

金刚格挡的命名源于金刚力士的雕像, 用于格挡同时打击面部和躯干或面部和下半身的攻击。在这项技术中, 一只手腕抬起来格挡对面部的攻击, 另一只手腕向下或向外移动, 分别格挡对下半身或躯干的攻击。此技术常在鹤立步中展开, 双臂从身体内侧交叉向外伸展, 同时格挡对面部和躯干/下半身的攻击。在这里, 视线应该朝向外格挡或向下格挡的方向。当任何格挡技术与上格挡组合使用时, 均会被归类为金刚格挡。

一. 鹤立步金刚格挡

• 描述: 当对手同时攻击面部和身体的侧面时, 鹤立步站立, 同时执行上段格挡和下段侧格挡。根据情况, 可以快速或缓慢执行此格挡动作。
• 方法:
  - 开始的位置如下。对于格挡下半身侧向攻击的手, 其移动应从对侧手臂的肩线前方开始。对于格挡面部攻击的手, 其移动应从对侧手臂的臂肘下方的腰线前方开始。
  - 手臂应在胸前交叉, 并同时向上和向下移动以格挡对手的攻击。
  - 对于向上移动以格挡面部攻击的手臂, 手腕应高于臂肘, 上升过程中穿过人中线, 并最终停在前额前方。
  - 向下移动以格挡身体侧向攻击的手臂应位于大腿前方约一拃的距离。
  - 视线应指向执行下侧格挡的一侧。当慢速执行此技术时, 动作应保持大约五秒。

二. 内手腕金刚外格挡/金刚外格挡

•描述: 在内手腕金刚外格挡格挡中, 同时执行两种技术: 上侧手臂使用内手腕向外格挡, 下侧手臂使用外手腕执行上段上格挡。

•方法:

- 在此技术中, 应该将两臂拉向胸部交叉, 同时执行 “上格挡” 和 “内手腕外格挡”。
- 用于上段格挡的手臂应止于额前, 而内手腕外格挡的手臂应止于身体外侧线处。
- 步伐和格挡应使用腰部的力量同时执行。
- 视线应指向执行外侧中格挡的一侧。

三. 手刀金刚格挡

•描述: 手刀金刚格挡主要用于后弓步中。是使用手刀同时阻击对方向面部和下半身攻击的格挡技术。

•方法:

- 采用与手刀上段格挡相同的方法执行, 应确保手腕保持稳定, 不向后反弯。
- 下格挡的手应止于大腿前侧, 并与大腿间保持大约一拃的距离。

※ 金刚格挡与手刀金刚格挡类似; 它们之间的唯一区别在于, 金刚格挡中, 用外手腕和握紧的拳头格挡攻击。

金刚格挡

鹤立步金刚格挡

内手腕金刚外格挡 (=金刚外格挡)

手刀金刚格挡

牛角格挡

•描述: 执行牛角格挡时, 用两个外手腕格挡对面部的攻击。在此技术中, 两外手腕向上移动, 两手臂对角线上抬至头部的顶端 (形如牛角), 以格挡对手向面部或头部上侧袭来的攻击。

•方法:

- 从"基本准备" 站姿开始, 下手腕略微转动, 缓慢稳重的向上抬起, 在肩部前方快速旋转双拳, 用外手腕阻击格挡。
- 双拳应在高于通常的上段上格挡位置进行格挡, 而手腕与前额以及两拳之间的间距都应为一个拳头的长度。
- 格挡时手腕应保持对角线形态, 使对手的力量成斜线偏移。

牛角格挡

助手格挡

助手格挡是一种利用辅助手协同进行格挡的技术。在这个技术中, 辅助手的运动类似于跟随或推动格挡手臂向胸口前方, 增加了扭矩和额外的力量, 以更好地格挡对手的攻击。辅助手的作用不仅是提供力量和协助移动, 还可以在格挡后为后续技术做好准备。在执行时, 要注意肩膀的位置, 确保肩膀高度适中, 避免过高或过低, 同时确保辅助手臂不过于向前或向后推动。这个技术强调了辅助手的作用, 既可以防御对手的攻击, 又可以为接下来的动作做好准备。

一. 手刀助手外格挡

- 描述: 手刀助手外格挡用于强力阻击或推开对手对躯干正面或侧面发动的攻击。此技术是从内侧开始向外侧进行的动作, 通过使用向后弯曲的辅助手为外侧格挡提供额外的支撑和力量。
- 方法:
  - 执行格挡的手的手刀应指向面部, 处于肩高, 辅助手臂肘关节略微弯曲, 手掌向后伸展, 手刀部分以对角线的形态置于肩线高度, 自然的向外转动开始动作。
  - 先旋转腰部, 使手刀于胸口线处格挡攻击, 手尖的最高位置不应超过肩线。
  - 辅助手臂的手腕应在胸口前方, 略微远离身体, 避免直接与身体接触。
  - 需要确保两个手腕 (即, 格挡手和辅助手的手腕) 不弯曲。
  - 辅助动作可用于快速地与后续动作连接。

二. 下段手刀助手格挡

•描述: 下段手刀助手格挡通常在后弓步中使用单侧手刀, 由上至下阻击对手从身体正面或侧面袭来攻击, 是借助另一侧辅助手刀向身体外侧阻击格挡技术。

•方法:

- 格挡用的手刀应指向面部, 位于对侧肩线高度上, 辅助手臂肘关节略微弯曲, 手掌向后伸展, 手刀部分以对角线的形态置于肩线高度, 自然的由外向下转动开始动作。
- 格挡手刀的手背朝上, 向下阻击格挡至大腿前方。手刀与大腿应保持一怍的距离, 同时确保手腕没有弯曲。
- 辅助手刀的手腕应在胸口前方, 手刀略微远离身体, 避免直接与身体接触。

助手手刀外格挡

下段手刀助手格挡

三. 助手外格挡

• 描述: 助手外格挡是指由内向外强力阻击对手从躯干高度正面或侧面袭来攻击的格挡技术。在辅助手的帮助下, 与外格挡相比可以更强的阻击格挡。

• 方法:

- 这种技术的执行方法与手刀助手外格挡相似; 主要区别在于, 用拳代替手刀执行格挡。
- 向后伸展的辅助手的手腕应在肩线高度。

四. 下段助手格挡

• 描述: 下段助手格挡是指至上而下向外强力阻击对手从下半身高度正面或侧面袭来攻击的格挡技术。在辅助手的帮助下, 与下段下格挡相比可以更强的阻击格挡。

• 方法:

- 这种技术的执行方法与下段手刀助手格挡基本相似; 主要区别在于, 用拳代替手刀执行格挡。
- 辅助手的手腕应位于胸口前方, 略微远离身体, 避免直接与身体接触。

助手外格挡

下段助手格挡

五. 上段内手腕助手侧格挡

- 描述: 上段内手腕助手侧格挡是指借助辅助手的帮助, 由内向外阻击对手从面部高度侧向袭来攻击的格挡技术。
- 方法:
  - 格挡时, 格挡拳的底部应指向面部, 其位置应在肩线高度, 且手腕在人中线上。
  - 辅助手以倒扣的拳头形态 (拳心向下) 置于胸前, 为了向格挡手臂的肘部方向增强力量, 采取了横冲拳的形态。
  - 当使用内手腕格挡对面部两侧的攻击或增加/维持身体的旋转力矩时, 此技术可以作为反击准备动作, 为随后的反击技术做好连接。

六. 内手腕手掌助手外格挡

•描述: 手掌助手外格挡是指用身体内手腕向外阻击对手从躯干高度侧面或正面袭来攻击的格挡技术。可以借助辅助手手掌朝相同方向提供的额外力量, 向外强力阻击格挡。

•方法:

- 手臂应在躯干范围内进行大幅度移动, 手掌并排贴在外格挡的手臂上, 以增强力量。
- 需要借助腰部和骨盆的反作用力将手臂拉向前方。在进行格挡时, 辅助手应推动手腕, 以便提供额外的力量进行防御。
- 辅助手的手掌以中指为中心贴附于格挡手的外手腕处。

上段内手腕助手侧格挡

内手腕手掌助手外格挡

七. 手刀背助手外格挡

- 描述: 手刀背助手外格挡是指借助辅助手的帮助, 向外阻击对手从躯干高度正面或侧面袭来攻击的格挡技术。
- 方法:
  - 执行此技术的方法与“手刀助手格挡”基本相同, 但使用手刀背 (与手刀形态相反) 格挡对手的攻击。
  - 此技术中的所有辅助动作都有助于积累力量, 可以用来防御或反击对手的连续攻击。
  - 辅助手臂的翻转手腕应置于胸口前方。

八. 内格挡接内格挡

- 描述: 内格挡接内格挡是连续两次快速以内格挡阻击对方连续攻击的格挡技术。
- 方法:
  - 中段格挡应该先由一只手的内手腕执行, 随即快速用另一只手的内手腕执行另一个中格挡。
  - 率先格挡的手臂应以短曲线的形式快速格挡, 接连格挡的手臂应以大曲线的形式快速格挡。
  - 率先格挡手臂的拳应拉向胸前, 形成短的中段格挡形态, 以协助长的中段格挡。

九. 内手腕助手外格挡

•描述: 内手腕助手外格挡是指借助辅助手手腕的帮助, 内手腕由内向外阻击对方攻击的格挡技术。

•方法:

- 内手腕助手外格挡的执行方法与 "助手外格挡" 基本相同, 但格挡用的身体部位是内手腕。
- 在格挡的瞬间, 应通过腰部和手腕的旋转增强格挡力度。
- 格挡手腕的高度在肩线处, 而辅助手腕应置于胸口前方。

手刀背助手外格挡

连续中格挡

内手腕助手外格挡

下段内手腕掌格挡

- 描述: 下段内手腕掌格挡用于假想对手的攻击作为目标。在这种技术的练习中, 使用对侧手臂的内手腕来在手掌上执行中段格挡动作。
- 方法:
  - 张开拇指制造目标。
  - 保持目标手固定于丹田前方, 应以内手腕进行下击式格挡。
  - 例, 当对手使用针对正面的踢击时, 应用内手腕挥击并向外偏转来格挡攻击。
  - 原地以马步姿势, 旋转身体和手臂进行防御。

下段内手腕掌格挡

躯外格挡

•描述: 躯外格挡是一种将对手的攻击向自身身体外侧踢出或用手掌推开的格挡技术。当对方攻击时, 用手、臂或脚像推一样将对方踢出, 使攻击的行径方向发生变化。

•方法:

- 利用手掌、手腕或脚, 结合腰部的旋转, 将对手的攻击格挡出身躯外侧。
- 这种技巧的不是用巨大的力量去正面对抗对方的攻击, 而是巧妙地将其偏转, 使攻击力量无法直接作用于身体。
- 通过这种偏转技术, 不仅可以防御对手的攻击, 还创造了反击的机会, 因为对手可能在受到这种格挡后失去平衡。

手掌躯外格挡　　脚掌躯外格挡

阻击格挡

阻击格挡是一种使用手或脚招架对方攻击，消弱其力量的技术。在对方攻击时，通过将自己的身体向攻击的行径方向移动以吸收冲击力，从而减轻对身体的冲击与疼痛。

一. 脚刀阻止格挡

- 描述：脚刀阻止格挡是一种通过用脚刀阻击切断对方踢击或向攻击方向移动的同时，通过轻轻按压来阻击对手踢击的格挡技术。
- 方法：
  - 在对方的踢击还未完全发挥力量之前，立刻进行格挡。
  - 为了减少格挡时产生的冲击，膝盖应略微弯曲，以起到缓冲的作用。

二. 小腿阻止格挡

- 描述：小腿阻止格挡是为了阻击对方踢击攻击或缓解冲击，用小腿向攻击方向进行阻挡的技术。
- 方法：
  - 跆拳道修炼者需要预先训练用小腿防御。
  - 当对手使用横踢时，修炼者应将膝盖向外斜拉，并用小腿防御。
  - 随后，应该伸直脚踝并折叠膝盖，使其紧贴身体。
  - 为应对小腿阻止格挡失败情况的发生，应该将双手放在胸前。

脚刀阻止格挡

小腿阻止格挡

交叉格挡

交叉格挡是一种用来提前阻止对手攻击的技术。当对手用手或脚发起攻击时, 在对手完全伸展其攻击部位 (例如手臂或腿) 的关节前两只手腕相互交叉完成格挡。格挡完成后可作为反击技术, 如抓住对手的攻击部位全力推开或扭转。

※ 用一只手执行的话就是斜格挡。

一. 下段交叉格挡

•描述: 下段交叉格挡是指用一只手臂增加另一只手臂力量的姿势向下阻击格挡。

•方法:

- 此技术通过同时使用两个手腕, 从一侧或两侧的髂嵴上的腰线外侧开始, 向下方施加力量来执行。
- 格挡的动作在下丹田前方完成, 下手臂的内手腕和上手臂的外手腕交叉, 使两个外手腕向下压或在对手的攻击上实施扭转抓住的动作。因此, 此技术可以用于部署反攻。
- 用外手腕交叉阻击格挡对手从下段袭来的膝击或踢击。

※ 下段手刀交叉格挡: 此技术要求修炼者首先使手背相对, 手掌保持展平状态。接着, 通过交叉手腕并向下压迫或扭转来格挡对手的攻击。成功执行此技术后, 它可以为修炼者创造出反攻的机会。

二. 上段交叉格挡

• 描述: 上段交叉格挡是指用一只手臂增加另一只手臂力量的姿势向上阻击格挡。

• 方法:

- 从肋部交叉两手腕, 以中心线为基准, 有力地抬起至面部前上方。
- 根据情况, 可以从髂嵴上面的腰侧开始移动, 使用外手腕防御对手的攻击。
- 在完成动作时, 注意头部或腰部不向后弯曲 (后仰)。
- 当一只手臂执行格挡的主要动作时, 另一只手臂通过增加力量来起到辅助作用提供支持。并通过推、绕、抓等方式用于反击。

※ 手刀上段交叉格挡: 在此技术中, 两只手手背相对, 手掌保持展开, 手腕交叉, 用以格挡或格挡后抓住扭转对手的攻击。成功地格挡后, 就有了发动反击的机会。

下段交叉格挡

手刀下交叉格挡

上段交叉格挡

手刀上段交叉格挡

(2) 躲避

躲避是跆拳道中一种用来摆脱对方攻击的技术。它涉及将身体向左或向右扭转、低头或向后仰, 并可能伴随着步伐动作, 以躲避对方的攻击。躲避通常与其他防御技术, 如格挡, 一起使用, 以减弱对方的攻击效果, 并降低受到伤害的可能性。这是一种非常有效的防御技术, 因为它允许修炼者在不与对方发生接触的情况下规避攻击, 同时也有助于防止相互伤害。

斜身躲避

这是一种通过扭转躯干来躲避的技术, 当左脚在前时, 将躯干向右转, 当右脚在前时, 将躯干向左转。

侧身躲避

这是一种通过扭转躯干来躲避的技巧, 当左脚在前时, 躯干向左扭转, 当右脚在前时, 躯干向右扭转, 以扭腰完成躲避。

降低重心躲避

这是通过弯曲膝盖、降低姿势来降低身体来躲避对手攻击的技术。

后仰躲避

这是一种通过降低姿势、使身体向后倾斜来躲避对手攻击的技术。

※ 弯腰躲避: 这是通过向前和向下弯曲上半身来躲避的技术。

斜身躲避　　侧身躲避

降低重心躲避　　后仰躲避

(3) 抽

这是一种可以在手腕或身体的一部分被抓住或锁住的情况下, 通过转动关节等多种方法将被困部位抽出的技术。为了执行此技术, 须理解并利用身体的要害部位, 各关节的活动范围, 以及杠杆和支点的原理。抽的种类根据力的应用方式可以分为: 下抽、上抽、扭抽、转抽、挥抽和双肘外抽。

下抽

当对手抓住跆拳道修炼者的手腕或领口时，修炼者可以采用下抽进行反击。在此技术中，使用距离对手最近的脚做前滑步，同时向下甩动手腕以摆脱对手的抓握。

上抽

当对手抓住跆拳道修炼者的手腕或领口时，可实施此技术。在此技术中，使用与被抓手腕同侧的脚做前滑步，同时向上甩动手腕以摆脱对手的抓握。

扭抽

一. 向内扭抽

在对手抓住跆拳道修炼者的手腕时，可执行向内扭抽。在此技术中，使用与被抓手腕同侧的脚做前滑步，同时向内转动并拉出手腕以摆脱对手的抓握。

二. 向外扭抽

在对手抓住跆拳道修炼者的手腕时，可执行向外扭抽。在此技术中，使用与被抓手腕同侧的脚做前滑步，同时向外拉出手臂以摆脱对手的抓握。

转抽

一. 旋转外抽

在对手抓住跆拳道修炼者的手腕或领口时，可执行旋转外抽。在此技术中，修炼者会做后滑步，同时利用外旋动作从内向外转动手臂来摆脱对手的抓握。

二. 旋转内抽

在对手抓住跆拳道修炼者的手腕或领口时，可执行旋转内抽。在此技术中，修炼者会做后滑步，同时利用外旋动作从内向外转动手臂来摆脱对手的抓握。

下抽

上抽

向内扭抽

向外扭抽

旋转外抽

旋转内抽

挥抽

在此技术中, 当对手抓住跆拳道修炼者的手腕或领口时, 修炼者应使用臂肘或肩部, 让手臂在一个大弧线中摆动, 使得对手失去抓握, 从而让自己摆脱束缚。

挥抽

双肘外抽

在此技术中, 当对手从后面抓住跆拳道修炼者, 锁住修炼者的手臂时, 修炼者应立即双膝弯曲, 同时把两个肘关节向水平方向提升, 以在自己和对手的手臂之间创造一个小空间。然后, 修炼者应立即发起反攻, 以摆脱对手的束缚。

双肘外抽

4 __ 攻击技术

(1) 冲拳

当用手臂攻击对手时, 需利用躯干的旋转或离心力来产生力量。执行冲拳时, 应伸直臂肘, 拳头沿直线移动, 以击打目标。

① ② ③ ④ ⑤

① 手腕应贴在髂嵴之上的腰线上。
② 在旋转腰部的同时, 手应以仰拳形式移动。
③ 手应转变为立拳。
④ 肘关节应弯曲, 用正拳击打。
⑤ 肘关节伸展以增加拳的冲击力。

冲拳方法

- 上半身保持直立, 肩部自然伸展; 击打拳拳背朝下贴于腰部 (髂嵴上部), 对侧的辅助拳已对角线形态, 手背朝上, 臂肘略微弯曲, 位于目标前方。
- 在将手臂贴近身体的同时, 保持腋窝不展开, 尽可能利用从腰部旋转产生的反作用力, 直接朝着目标冲拳 (目标位于两肩中点); 同时, 另一只拳头应被拉回。被拉回的拳头轨迹应与目标在一条直线上, 并且拳应迅速贴在腰部 (在髋骨之上)。
- 在冲拳的过程中拳与目标在一条直线上快速拉出, 贴于腰部 (髂嵴上部), 拳应向内旋转, 使得手背从下往上, 通过伸直弯曲的臂肘产生的力量进行冲拳。
- 用拳以直角精确打击对手的目标部位 (面部、躯干、下半身)。
- 如果腋下打开, 由于臂肘与身体没有接触, 冲拳的力量会分散, 击打的冲击力减弱。
- 将辅助手向后拉的动作有助于骨盆和腰部的旋转, 进一步加快了位于对侧髋骨上方 (腰部) 拳的冲拳速度。
- 从侧面看, 根据步伐的形式, 允许肩部稍微向前也无妨。

根据冲拳目标分类

在跆拳道修炼中进行实战较量时, 可以轻松地对攻击对象产生目标意识。然而在没有实体对手的情况下修炼基本动作或品势时, 攻击是在空旷的空间中进行的, 因此, 修炼者需要在心中假想空间中有和自己一样体格条件和技术的对手, 并抱着正确攻击目标的心态进行修炼。这样的冲拳技术根据目标区分其术语。

一. 上段冲拳

- 攻击面部代表性目标人中时, 将拳与人中形成一条直线。
- 冲拳的方法与中段冲拳相同。

正拳

二. 冲拳

- 攻击躯干代表性目标胸口时, 将拳与胸口形成一条直线。
- 上半身应保持直立, 肩部自然伸展; 冲拳的手腕应放置在髂嵴上方的腰线上, 臂肘自然贴向身体。
- 在将手臂贴近身体的同时, 保持腋窝不展开, 尽可能利用从腰部旋转产生的反作用力, 直接朝着目标冲拳 (目标位于两肩中点, 胸口的高度) ; 同时, 另一只拳应快速拉回。
- 被拉回拳的轨迹应与胸口在一条直线上, 并且拳应迅速贴在腰线上 (在髂嵴之上)。

三. 下段冲拳

- 攻击下半身代表性目标丹田时，将拳与丹田形成一条直线。
- 冲拳的方法与中段冲拳相同。

上段冲拳　冲拳　下段冲拳

侧视图　侧视图　侧视图

四. 两次冲拳

- 两次冲拳包括在第一次冲拳执行完后快速回拉, 然后用另一只手迅速冲拳。
- 两次冲拳应一气呵成 (一口气两次)。
- 如果出拳过于猛烈, 你可能会失去身体的平衡, 最终形成与推出相似的形态。

正冲拳

• 描述: 在此技术中, 站姿方面, 腿应向前后张开 (无论是前弓步还是后弓步的姿势), 并使用后脚侧的拳头执行冲拳。此技术的姿势使得修炼者能够执行高效的动作, 因为促使身体各个部分, 如肌肉、神经系统和运动器官协同工作, 从而维持平衡并提高稳定性。

• 方法:

  - 此技术包括使用后脚侧的拳头打击; 过程中持续变化拳的形式为: 拳、立拳和仰拳。
  - 被拉回的拳头应沿着冲拳拳头和目标之间的同一轨迹移动。
  - 在冲拳的终点, 手腕的扭转会产生瞬间的加速, 从而产生较大的力量。

反冲拳

• 描述: 做反冲拳时, 站姿方面, 腿应向前后张开 (前弓步, 后弓步), 冲拳应用前脚侧的拳头执行。

• 方法:

  - 此技术包括使用前脚侧的拳头击打, 过程中持续变化拳的形式为: 拳头、立拳和仰拳。
  - 被拉回的拳头应沿着冲拳拳头和目标之间的同一轨迹移动。

立冲拳

•描述: 立冲拳是指拳头直立 (使锤拳面向下) 执行的冲拳。当对手处于近距离时, 冲拳完成时臂肘可处于弯曲状态。

•方法:

- 双脚应牢牢地固定在地面上, 身体的重心应通过膝盖和骨盆维持; 当因腰部 (骨盆) 的旋转产生反作用力时, 辅助手应迅速从胸前拉回到髂嵴上方的腰线处。
- 由腰部 (骨盆) 的旋转产生的反作用力的力量和速度应传递到冲拳击打的拳头。

正冲拳　　反冲拳　　立冲拳

仰冲拳

• 描述: 仰冲拳通过用翻转过来的拳头打击对手 (近距离) 来执行; 当拳上升于面部高度时, 它就变成了上冲拳。如果为了击打远处的对手而伸直臂肘, 那么出拳的力量会减小。

• 方法:

- 腕部应置于髂嵴上方的腰线上, 拳头背面朝上, 随后, 拳应翻转过来并执行冲拳击打。与典型的冲拳相比, 拳头旋转的方向相反。
- 当冲拳时, 拳背应指向下方, 臂肘弯曲角度120度以内或。
- 在冲拳的终点, 手腕的扭转会产生瞬间的加速, 从而产生较大的力量。

一. 双手仰冲拳

• 描述: 双手仰冲拳是一种通过同时翻转双拳并向前冲拳的技术。在前滑步或跳远后, 以辅助步或后交叉步站立时, 双拳翻转向前仰拳击打。冲拳的目标是躯干, 双拳间的间距不要过大, 约为两拳的空间。

• 方法:

- 以倒扣的拳头形态, 在髂嵴上的腰线处, 像推胳膊一样冲拳击打。
- 拳头应比臂肘稍高, 打击应针对对手胸前肋骨。
- 应利用腰部和腹部提供的向前推力来击打。

※ 在尝试执行双拳仰冲拳之前, 应该练习使用单拳执行的仰冲拳。

仰冲拳

双拳仰冲拳

侧冲拳

• 描述: 侧冲拳是指从并排步或马步姿势侧向伸展的冲拳技术。它被用于原地击打, 或在移动时攻击远处的对手。

• 方法:

- 通过使用身体的角向力量, 向侧面直角击打对手。
- 身体应迅速旋转, 使冲拳的拳头带有较大的打击力。
- 如果在以“侧滑步”(使用“交叉步”姿势)移动时执行, 可以产生更大的冲击力。

上冲拳

• 描述: 上冲拳是指将拳头由髂嵴上方向上击打近距离对手下颚的技术。

• 方法:

- 以仰拳形态, 在髂嵴上的腰线处抬起肘关节击打。
- 拳应向上移动至下颚高度, 并在击打目标时转动。
- 击打拳肘部弯曲, 拳背面向对手。

一. 双手中凸上冲拳

- 描述: 双手中凸上冲拳主要是推开或格挡对手的攻击, 然后用中凸拳执行上冲拳。
- 方法:
  - 双中凸拳应从髂嵴上方的腰线开始, 并对目标实施上击打。
  - 通过将腰部和腹部的力量传向拳击打的方向, 可以执行强有力的上冲拳。

侧冲拳　　上冲拳　　双手中凸上冲拳

横冲拳

- 描述: 横冲拳是一种向击打拳对侧方向转动手臂, 击打目标的技术。
- 方法:
  - 拳以圆周运动方式击打, 而不是直接朝向击打拳对侧目标方向直线击打。
  - 当对手距离较近时, 利用腰部 (盆骨) 、躯干、肩膀的扭转力, 以直角击打目标。

- 以肋部或侧脸等为目标时, 肘部不会完全伸展, 而是根据目标的位置自然弯曲。
- 金刚品势的横冲拳应位于胸口前方, 距离约为一拃。

横冲拳

下冲拳

• 描述: 下冲拳指的是向下的拳击打技术。是以拳从上方开始, 腰部向下弯曲下压的方式执行。
• 方法:
  - 向下击打时, 不应只使用手臂的力量, 还应承载体重向下击打。
  - 这通常用于击打固定在地面上的物体, 或击打在低处的目标。

下冲拳

金刚拳

金刚拳, 以金刚力士雕像命名, 是通过用一侧拳向面部或躯干目标 (位于自己身体前方或侧面) 打击, 同时用另一侧手执行上段格挡的技术。

一. 金刚前冲拳

- 描述: 执行金刚前冲拳的动作如下: 一侧拳用来执行中段冲拳; 同时, 另一侧手执行上段格挡。上段格挡和中段冲拳应同时向前方执行。
- 方法: 上段格挡手在击打拳的腰线上开始采取小铰链击姿势, 并在向前迈步形成前弓步姿势的同时执行金刚冲拳。但根据前方手的位置, 可以不做小铰链击, 从胸口前部执行上段格挡。

二. 金刚侧冲拳

- 描述: 执行金刚侧冲拳的动作如下: 一侧拳用来执行中段侧冲拳; 同时, 另一侧手执行上段格挡; 这通常与马步一起使用, 上段格挡和中段冲拳执行的方向不同。
- 方法:
  - 从马步开始, 应在执行中段冲拳的拳头侧的髂嵴上方 (腰线) 开始采取小铰链击姿势; 随后, 上段格挡和冲拳应同时执行。
  - 视线应指向冲拳的方向。

金刚前冲拳

金刚侧冲拳

长短拳

•描述: 长短拳是指两拳同时击打对手躯干高度的技术。起源于韩国传统用具 “筛架”。

•方法:

- 两只手臂的形状类似于横放的字母 “U”。
- 这里, 两只拳头应同时发动攻击, 右拳应移动到达左手腕附近的位置。
- 当右脚处于右后弓步站立姿势时, 身体应以45度的角度侧转, 左肩向前。右肘应轻微弯曲, 两手臂应保持约两个拳头的距离。
- 从小铰链击开始打击, 手臂应互相平行。

筛架　　前弓步长短拳　　后弓步长短拳

拉冲拳

•描述: 拉冲拳是一种抓住对手的身体或衣领, 防止其逃跑或闪避, 并通过拉扯和翻转来产生更大冲击力的技术。

•方法:

- 在一侧手将对手拉向内部的同时, 另一侧拳执行仰冲拳。
- 将对手抓拉向内部的拳应放置于对向肩部的前面。
- 击打的拳头贴在自己髂嵴上方的胸部和身体一侧, 拳背向上, 当拳在目标前面时, 应翻转拳头仰拳击打。
- 被拉向内部的手臂应与胸前的打击拳交叉, 手自然旋转, 使得拳底朝向面部贴在肩线前方。
- 击打和拉应同时执行。
- 当慢速执行此技术时, 动作应保持大约五秒。

对掌冲拳

• 描述: 对掌冲拳是一种选择目标位置, 并用拳击打该位置的技术。

• 方法:

- 以击打拳对侧的手做为目标笔直击打, 不要弯曲肘部。
- 目标手拇指贴于食指一侧, 其余四指并拢略微弯曲, 手掌形成击打目标, 但不抓住击打拳。

拉冲拳　　对掌冲拳

(2) 击打

击打是指在使用手臂进行攻击时, 通过应用身体的角向力, 利用身体的坚硬或尖锐部分, 如拳头或手臂, 对对手的要害进行打击。这一技术可以伴随肘部的弯曲或伸展来实施, 具体取决于攻击动作和目标。

击打是一种适用范围非常广泛的技术, 可以使用人体所有可以活动的部位, 包括手、脚、手臂、腿、肘、膝等。屈膝攻击也被称为击打, 而不是踢。

前击打

前击打是指通过使用, 如: 掌根、背拳、锤拳、手刀等身体部位, 击打前方目标的技术。

一. 掌根前击

•描述: 掌根前击是使用掌根击打前方目标的技术, 通常用来攻击对手的胸口或下颚。

•方法:

- 利用来自骨盆和腰部旋转的反作用力, 将胸前的辅助手用力拉至髂嵴上方的腰线处。
- 另一侧手臂的掌根部位应向前直伸以执行前击, 在执行此操作时, 须防止臂肘外张。
- 在手尖向上的情况下, 掌根应旋转约45度击打对手。

二. 虎口前击

- 描述: 虎口前击是指通过使用虎口击打前方目标的技术。此技术可以用来攻击对手的颈部或下颚, 或用另一只手抓住对手的脚或小腿的同时, 向对手的膝关节使用关节技。
- 方法:
  - 在击打颈部时, 使用方法与掌根前击相同, 但虎口前击中使用虎口部位进行击打。
  - 在按住对手的膝关节时, 手掌形成虎口形态, 掌心朝上抬至胸部高度, 随后向下强力击打。

掌根前击

虎口前击

三. 上段背拳前击打

• 描述: 上段背拳前击打是指使用背拳击打前方目标的技术。

• 方法:

- 使用食指和中指第一个关节处的拳头背面。
- 击打的背拳拳背向上, 拳头从对侧的髂嵴上方开始向上移动经过腋下, 并在绘制前向上升的弧线时用背拳击打对手的人中。
- 辅助手臂强力地拉回, 通过扩大可动范围快速地击打对手。
- 击打的背拳手腕不能弯曲。
- 在胸口前, 拉动的辅助臂和击打的手臂交叉, 身体自然地转向侧面击打。

上段背拳前击打　　背拳

四. 锤拳前击打

•描述: 锤拳前击打是一种通过肘部弯曲伸展或保持弯曲的状态, 使用锤拳垂直击打对手头部、肩部和胸部等部位的技术。如果需要, 也可以使用辅助手。

•方法:

- 在旋转躯干时, 应将肘关节向前伸展 (之前被拉向后方), 并对对手进行击打。
- 通过有效地配合腰部的转动, 或将迈出的脚大步向前, 可以增加运动的旋转力。
- 拉动交叉的辅助手臂, 旋转骨盆使腰部先转, 随后臂肘转动并用锤拳击打对手。

锤拳前击打

五. 额前击打

额前击打是一种用于没有其他办法的紧急情况下, 且与对手处于较近距离时, 抓住并拉近对手的肩膀或头部, 利用腰部的反作用力, 使用前额击打对手的人中、鼻子或胸口的应急技术。这是一个危险的技术, 因为冲击力会传递至大脑, 该技术主要使用于护身实战中。

※ 向前击打时使用前额的左侧或右侧, 而不是中心, 这样可以将对脑部的冲击量降至最低; 用后脑勺使用这种自卫攻击技术更是冒险 (它会比额头前击对大脑造成更大的冲击), 因此需要特别注意。

额头前击打

外击打

外击打是一种通过使用如背拳、锤拳、手刀、手刀背等身体部位, 由内向外击打身体外侧目标的技术。随着腰部旋转依照先肩关节后肘关节的伸展顺序, 以稳定的步伐击打目标。

一. 上段背拳外击打

• 描述: 上段背拳外击打是一种使用背拳击打身体外部目标的技术。主要击打对手的人中、下颚和太阳穴等目标位置。
• 方法:
  - 击打的背拳于对向肩线高度弯曲臂肘以立拳形态击打至对方人中高度。
  - 利用旋转腰部产生的旋转力, 依照先肩关节后肘关节的顺序伸展手臂进行击打。
  - 辅助拳与击打拳于胸部前方或击打手臂肩线处交叉后拉至腰部。

上段背拳外击打

二. 颈部手刀外击打

• 描述: 颈部手刀外击打是一种与背拳外击打技术相似的用手刀击打外侧目标的技术。主要攻击对手的颈部, 当攻击对手的躯干时, 以肋骨下部为目标。

颈部手刀外击打

内击打

内击打是一种通过使用如锤拳、手刀、手刀背、手掌和掌根等身体部位由外向内旋转击打的技术。在此技术中, 使用由髋关节和肩关节内旋产生的力量进行内击打。

一. 颈部手刀内击打

• 描述: 颈部手刀内击打是一种通过手刀向内击打目标的技术。主要用来打击对手的颈部, 也可以用来击打对手的太阳穴或肋骨的下端。
• 方法:
  - 当用一只手击打时, 手掌在肩部上方朝外, 然后开始向内击打。
  - 辅助手应在对侧向前伸出, 同时沿着相同的旋转方向将其拉向髂嵴上方的腰线; 使腰部和躯干的旋转力增大。
  - 躯干向内扭转约30度, 臂肘跟随; 之后手刀旋转击打。
  - 所有上述过程都应以有机的方式执行, 肩部放松, 臂肘不要过度伸展, 手刀积聚力量击打。

※ 如果躯干旋转约45度, 那么此技术就变成了斜内击打。

二. 锤拳内击打

锤拳内击打是一种使用锤拳击打内侧目标的技术, 攻击对手的肋下、颈部等。

※ 掌根内击打: 是一种使用掌根击打内侧目标的技术。动作相对较快, 因此也可用于避开对手的攻击后 "躯外格挡"。

※ 手刀背内击打: 是一种通过使用手刀背击打内侧目标的技术。它仅通过肩关节内旋产生的力量和体重执行, 而不使用手腕关节或肘关节的角向力。

三. 双手锤拳内击打

双手锤拳内击打打是一种两只手同时使用锤拳击打内侧目标的技术。用于向对手的颈部或肋下发起攻击。当用双手发起攻击时，两只手腕应从上方向下移动，并在向内旋转时击打。

颈部手刀内击打　锤子

锤拳内击打　双手锤拳内击打

下击打

下击打是一种使用如 "臂肘、锤拳、手刀、背拳、手刀背" 等身体部位, 由上至下击打目标的技术。

一. 锤拳下击打

• 描述: 锤拳下击打是一种使用锤拳击打低位目标的技术, 用于击打对手的头顶, 或锁骨。
• 方法:
  - 向前下方击打时, 腰部向后扭转, 锤拳以大幅度动作摆动画圆, 同时用力拉动辅助手臂进行击打。
  - 向侧下方击打时, 击打手臂折叠置于对侧腋下并向外旋转, 以增加动作幅度加速击打。
  - 辅助手臂应强力拉回, 并贴在髂嵴上方的腰线上。

※ 手刀下击打: 是一种通过用手刀向下打击低位目标的技术。与锤拳下击打技术类似。

二. 臂肘下击打

臂肘下击打是一种使用臂肘向下击打低位目标的技术。用于击打对手的背部或颈部后侧要害部位。此技术的方法如下: 在弯曲肘关节和膝关节的同时, 快速降低身体重心执行击打, 也可以在执行跳高后, 使用下落时产生的力量来进行打击。

三. 背拳下击打

背拳下击打是一种使用背拳利用体重向下击打低位目标的技术。执行此技术时, 肘关节不能完全伸展。

四. 手刀背下击打

手刀背下击打是一种使用手刀背击打低位目标的技术。与“手刀背内击打”技术相同，仅通过向下运动产生的力量，而不通过手腕关节或肘关节的弯曲来击打低位目标。

锤拳下击打　手刀下击打　臂肘下击打

背拳下击打　手刀背下击打

上击打

上击打是一种使用如“臂肘、膝盖、掌根和屈腕”等适用的身体部位，由下至上击打的技术。对手身体在向上打击轨迹中的部位是打击的目标（例如，下颚和裆部）。然而，根据情况，此技术也可以用来打击以下目标：向前弯腰的对手的胸口或肚子，或者对手使用冲拳等技术后的手臂下侧。因为在执行上击打时，必须将力量施加在与重力方向相反的方向，如果需要，可以使用如“抓”等技术固定目标区域，以传递较大的冲击力。

一. 臂肘上击打

- 描述：臂肘上击打是一种使用臂肘击打位于较高位置目标的技术，如对手的下巴。
- 方法：
  - 交叉在另一只手前面的辅助手应位于胸口前方，收拳时以仰拳形式贴在髂嵴上方的腰线上。
  - 辅助手应被拉回到髂嵴上方的腰线，击打手臂拳旋转成立拳形态，以上抬臂肘的感觉向身体内侧略微斜向击打。

二. 膝盖上击打

- 描述：膝盖上击打是一种使用膝盖来击打位于较高位置目标的技术。用双手向内拉对手的头部或肩膀，同时向上击打对手的面部或胸口。
- 方法：
  - 利用腰部力量，膝关节屈曲折叠，快速向上击打目标。
  - 伸展脚背，脚踝放松。
  - 双手握拳，下拉至击打腿的脚踝上方位置。

※ 膝盖按压：主要用于护身较量中的技术，通过弯曲膝关节承载体重按压对手关节，从而破坏或压制重心。

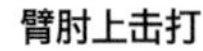
臂肘上击打

膝盖上击打

侧击打

侧击打是一种在与马步类似的向右侧张开的姿势下，用臂肘、背拳、锤拳和手刀等部位，向侧面对手面部或躯干击打的技术。视线应该指向击打方向。

一. 颈部手刀侧击打

颈部手刀侧击打是一种使用手刀向侧向目标击打的技术。双手交叉，腰部和肩膀向反方向扭转，辅助手向内拉至髂嵴上方，利用击打手臂伸展的力量旋转手刀击打对手。

二. 臂肘侧击打

臂肘侧击打是一种使用臂肘击打身体侧向目标的技术。腰部和肩膀应该向相反的方向扭转使用伸展的力量，击打手臂的臂肘沿着胸口线直线伸展，辅助手手腕拉回至髂嵴上方的腰线。

三. 上段背拳侧击打

上段背拳侧击打是一种使用背拳击打身体侧向目标的技术。通过击打手臂的肩关节和肘关节的伸展运动, 打击身体侧向目标。如果同时击打两侧, 则被称为两侧背拳击打。

※ 如果用手刀击打侧面的对手, 此技术就变成了手刀侧击打。

颈部手刀侧击打　　臂肘侧击打　　上段背拳侧击打

双肘横击打

•描述: 双肘横击打是一种使用双手臂肘同时击打两侧目标的技术。起源于用具“枷担 (jiā dān)” 又名枷担, 是指耕田时架在牛脖子上用于拉犁的农具。

•方法:

- 在胸前双臂拳背向上, 两拳向身体外侧线交叉, 有力地向两侧展开击打。
- 拳头和身体之间略有间隙, 肩部不向上抬。
- 臂肘应在胸口高度, 视线应指向移动的方向。

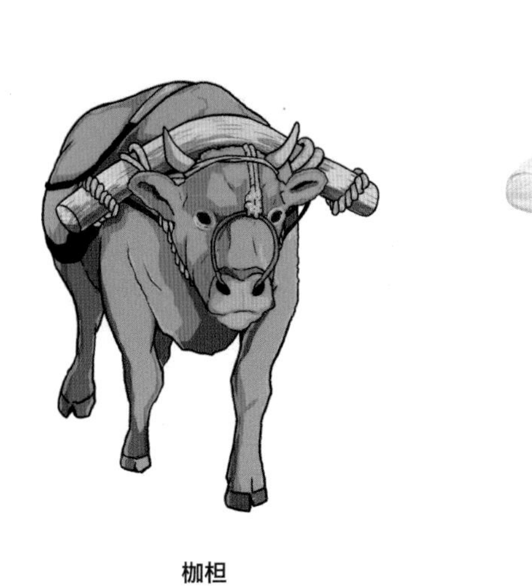

枷担

双肘横击打

横击打

横击打是一种由外向内转动身体部位如 “臂肘、膝盖” 等, 并通过腰部的扭转, 以及肩关节和髋关节的旋转进行水平击打的技术。臂肘可以用来击打对手的下颚、太阳穴、胸口等身体部位, 膝盖可以用来击打胸口和肋下等身体部位。

一. 上段臂肘横击打

•描述: 上段臂肘横击打是一种使用臂肘旋转击打目标的技术。

• 方法:
- 转肘击打的臂肘手背向上, 以便手臂旋转; 臂肘应尽可能地转动, 使其位于胸部前方。
- 击打面部时, 臂肘置于肩线上方。
- 辅助手被有力地拉回的同时, 扭转腰部进行击打。

臂肘横击面部 **膝盖横击打**

后击打

后击打是一种使用臂肘等部位, 击打身后对手或目标的技术。特别是被对手从背后搂抱时, 应使用肘关节击打对手的面部或胸口。

一. 臂肘后击打

臂肘后击打是一种使用臂肘击打身后目标的技术。当被对手从背后搂抱住时使用这一技术。完全弯曲臂肘击打对手的胸口或肋骨。这里, 臂肘应该沿着直线击打, 就像它被向后拉一样。

二. 上段臂肘后击打

上段臂肘后击打是一种使用臂肘击打身后对手面部或颈部的技术。用于对手在背后或被抓住时扭转身体将臂肘向上抬起进行击打。

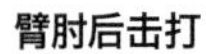

臂肘后击打　　上段臂肘后击打

燕形击打

燕形击打是一种防御和攻击高速同时进行的技术。防守的手臂进行“上段手刀格挡”，另一只手臂进行“掌根前击”打或“手刀内击打”打击对手的下颚或颈部。这里，“燕”一词意味着扭转身体使腰部看起来纤细，就像燕子的身体和尾部之间的纤细形状一样；通过扭转腰部，修炼者能够像燕子一样快速地同时执行防御和进攻。

一. 颈部燕形内击打

- 描述：颈部燕形内击打是一种同时执行“手刀内击打”和“手刀上格挡”的击打技术。当以左前弓步站立时，左手刀执行上段格挡，扭转腰部，用右手刀内击打对手颈部。

•方法:
  - 格挡面部的手刀手掌朝上, 位于对侧髂嵴上方的腰线位置, 向内侧击打的手刀, 在同时执行一只手的手刀上段格挡和另一只手的手刀内击打之前, 手背应指向肩部。
  - 在扭转腰部时, 肩膀内转后手刀跟着内转, 并在最后一刻扭转手腕进行击打。
  - 前置脚的手应用手刀格挡面部。
  - 后置脚的手应用手刀打击对手的颈部, 臂肘稍微弯曲。

※ 下颚燕形内击打: 是同时执行 “掌根前击打” 与 “手刀上格挡” 的技术。

燕子

燕手刀内击颈部

拉击打

拉击打是一种为了给对方带来巨大冲击，而将对手拉向内侧用背拳、锤拳、臂肘等向前击打对手的技术。

一. 下颚背拳助手拉击打

- 描述：这是一种用一只手抓住对手并拉向内侧（防止其移动或逃跑），同时另一只手背拳击打下颚的技术。
- 方法：
  - 腰部后转，击打手臂背拳向后位于肩侧。
  - 用向前伸出的辅助手拉住对方的肩部或胸部等部位，转动拳头向前击打。
  - 辅助手用于拉拽的拳背向上，放置于击打手臂臂肘下方支撑。

下颚背拳助手拉击打

侧视图

掌心击打

掌心击打是一种以假想对手为对象, 用一只手制造目标, 然后用对侧手臂的锤拳或臂肘等对目标进行击打的技术。目标手的手掌张开, 以便作为目标, 击打完成后目标手不应抓住拳头。通过设立一个实际的目标, 而不是在空中挥拳, 可以防止动作过大, 达到实际打靶修炼的效果。

一. 下段锤拳掌心击打

• 描述: 下段锤拳掌心击打是一种将自身手掌设为目标, 并用锤拳向下向内击打的技术。
• 方法:
  - 双手重叠, 由头顶向两侧缓慢放下, 大约执行8秒钟。
  - 在肩线处将击打手握成拳, 缓慢下放至丹田前方, 锤拳击打成为目标的对侧手。
  - 当用锤拳击打时, 应收紧腋窝, 臂肘略微弯曲, 距离丹田大约一拃的距离。
  - 目标手的拇指贴于手掌, 不包裹锤拳。

二. 上段锤拳掌心内击打

• 描述: 上段锤拳掌心内击打是一种将手掌设为目标并用锤拳进行内击打的技术。通常情况下, 首先执行一只手的单手刀侧格挡, 以其手掌作为目标使用锤拳击打。
• 方法:
  - 一只手在面部高度设立目标, 对侧手以大幅度动作将锤拳举向脸侧, 转动腰部向内击打。
  - 击打瞬间步伐稳定, 展开目标手拇指, 形成目标。
  - 目标手不包裹锤拳。

三. 臂肘掌心前击打

• 描述: 臂肘掌心前击打是一种以手掌为目标, 扭转腰部肘部横击的击打技术。

• 方法:

- 向前伸展设定的目标手臂。
- 将目标手拉至胸前, 对侧使用肘部击打的手臂手背朝上, 于胸前击打目标。
- 目标手的拇指应紧贴手掌, 击打目标时应扭转腰部。
- 使用臂肘击打手掌时要确保目标手的手指不弯曲。

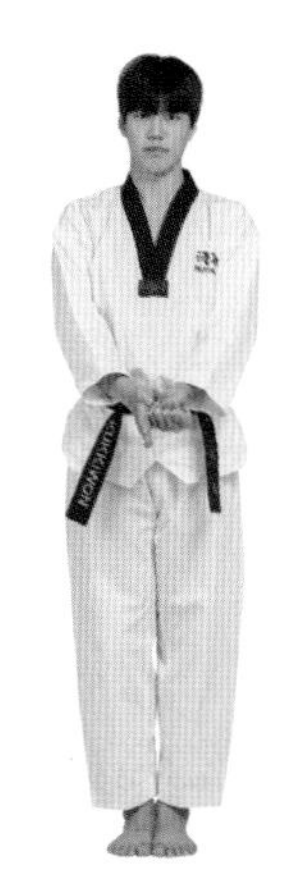

下段掌心内击打

上段掌心内击打

臂肘掌心前击打

助手击打

助手击打是一种通过辅助手支持产生较大力量攻击对手的技术。可作为帮助顺畅进行后续技术的准备动作。根据攻击目标的不同，击打手的位置也不同，如在面部、躯干或下半身，而为了便于随时快速使用技术辅助手始终置于胸口前方。

一. 上段臂肘助手横击打

• 描述：上段臂肘助手横击打是一种使用臂肘横击打对手面部或躯干的同时，用另一只手掌提供支撑的技术。
• 方法：
  - 辅助手手掌于胸前做好准备，在横击打瞬间接触击打手臂拳头，以支撑打击臂增加击打的准确性和冲击力。
  - 在扭转腰部执行横击打时，辅助手和击打臂肘不要过度用力。
  - 辅助手的拇指应紧贴于手掌，手掌张开不包裹拳头。

二. 臂肘助手侧击打

• 描述：臂肘助手侧击打是一种用于击打前方对手面部或驱躯干的技术。使用臂肘进行击打时，另一只手掌通过推拳来辅助臂肘横击打。
• 方法：
  - 从站姿开始，打击臂肘的拳头应向身体对面的外廓线移动，并与辅助手的手掌接触，利用辅助手提供的推力，臂肘横向击打。
  - 辅助手的手尖应指向上方，且不包裹击打手的拳头。
  - 承载体重进行击打时，将辅助手推至打击臂肘一侧的胸部前方。

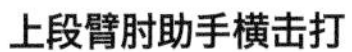
上段臂肘助手横击打

臂肘助手侧击

三. 上段背拳助手击打

•描述:

上段背拳助手击打是一种击打前方对手面部的技术。通过背拳执行前击打的同时, 由辅助拳提供帮助来执行。

•方法:

- 击打形式与背拳前击打类似, 两手臂随着腰部的旋转进行大幅度动作, 以产生较大力量。
- 辅助手手腕和胸口之间应略有间隙, 辅助手和击打手须同时移动。
- 双手手腕不应弯曲。

四. 颈部虎口助手击打 (=助手虎口)

•描述: 颈部虎口助手击打是一种用一只手执行下压格挡, 在辅助手手背的支撑下利用虎口击打身体前方目标的技术。此技术可以用来攻击对手的颈部和下颚。

•方法:

- 用胸前的辅助手按压格挡对手攻击的同时, 为击打手臂的臂肘提供支持。
- 击打对手颈部时胳膊肘不要张开, 应直接向前伸展击打。

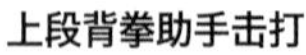

上段背拳助手击打

颈部虎口助手击打

(3) 刺击

刺击技术与冲拳技术相似, 单使用的部位是手尖, 而不是拳头。此外, 由于手指展开, 它们具有利用手指长度打击距离较远的目标的优点。然而, 如果缺乏良好练习或训练, 手指关节会有脱臼或骨折的风险。

刺击是指用手尖击打对手要害部位的技术。与冲拳技术一样, 是将手尖和手腕成直线进行刺击, 但使用部位面积较小, 可以向对手要害部位传递强烈冲击。手臂动作与冲拳中使用的相同, 但由于使用部位较小 (手尖的面积小), 所以在攻击拳头难以到达的深或窄的对手要害部位时使用。当进行刺击或拉回时, 肘关节和外手腕应擦过腰线。刺击通过手尖 (一指、两指或三指等) 击打对手眼部或颈部。

立刺击

• 描述: 立刺击是一种竖起指尖, 用伸直的手指尖锐地攻击对手胸口等部位的技术。

• 方法:

- 刺击的手位于髂嵴上缘, 其掌面向上, 而伸展在胸口前方的辅助手拳背朝对角线斜向上, 随后, 双手应相互交叉执行刺击动作。
- 使用与冲拳相同的方法, 应用手尖进行刺击。
- 伸展在胸口前方的助力手用力拉至髂嵴上缘的腰线, 同时手尖应在胸口线高度竖立并向前刺击。立刺击的手腕和臂肘应以直线伸展。

扣手刺击

• 描述: 扣手刺击是一种以手尖翻刺攻击对方颈部胸口等要害部位的技术。

• 方法:

- 刺击的手位于髂嵴上缘, 其掌面向上, 而伸展在胸口前方的辅助手拳背朝对角线斜向上, 随后, 双手应相互交叉执行刺击动作。
- 使用与冲拳相同的方法, 应用手尖进行刺击。
- 刺击的手尖等长并拢, 手腕和臂肘以直线伸展。

仰手刺击

•描述: 仰手刺击是一种以翻转手掌向对手小腹或裆部攻击的技术。

•方法:

- 刺击手位于腰部上方肋部, 其掌面向上, 而辅助手向前伸展手背朝上, 随后, 双手应相互交叉执行刺击动作。
- 此时, 刺击手尖翻转向下, 辅助手于肩线前掌心指向面部拉回。

立刺击　　扣手刺击　　下段仰手刺击

助手立刺击

•描述: 助手立刺击是一种竖起手尖, 在辅助手手背支撑下尖锐地向对方胸口等部位攻击的技术。

•方法:

- 与冲拳技术类似, 在刺击技术中, 刺击由手尖向前执行, 其动作从髂嵴上缘的腰线开始。
- 辅助手以按压格挡对手冲拳攻击的形态, 将手背贴于刺击手臂肘下方, 像支撑手臂一样。
- 在下压格挡的同时, 使用张开竖立的手尖执行立刺击。

膝窝步助手立刺击

•描述: 膝窝步助手立刺击是一种向前跳跃形成膝窝步, 辅助手下压格挡, 接着另一只手深入执行刺击的技术。

•方法:

- 从膝窝步开始, 应执行助手立刺击。
- 膝窝步完成时刺击也应同时结束, 为了有效地保持平衡, 支撑脚掌和膝盖必须保持静止。
- 脚背应贴着膝部弯曲处, 膝盖应指向前方。
- 辅助手的背部应牢固支撑于肘关节下方, 以防止肘关节屈曲, 从而减少晃动, 使得刺击可以更有力更精准地执行。

助手立刺击

膝窝步助手立刺击

(4) 抓住

抓是一种用手抓住对手身体（身体部位或领口），妨碍或阻止对手移动的技术。在某些情况下，只是单纯的抓住对手，但也可以抓住并限制其移动，使用掌心击打或掌心踢击，同时，还可以将对手拉拽，使用拉冲拳或拉击打。按压或向内抓住的形态较多，虽然从抓住后攻击的技术特性上分类为攻击，但也包括防御的功能。

缠抓

一. 缠抓手腕

缠抓手腕是一种格挡对手攻击后，张开手掌旋转手腕抓住对手的格挡技术。

伸抓

一. 抓脚踝

抓脚踝是一种当对手用腿踢击时，使用虎口抓住对方脚踝并用力由下至上快速拉拽的技术。

缠抓手腕　　抓脚腕

二. 抓头

抓头是一种用双手抓住近距离对手的头部或拉拽其头发, 主要利用自身膝盖击打的技术。

三. 抓肩膀

抓肩膀是一种用一只手拉拽对手肩膀或衣服, 用拳向上击打下颚或旋转臂肘横向击打的技术, 同时也可以用双手抓住并拉拽对手进行膝盖击打。

四. 夹子手抓颈部

夹子手抓颈部是一种使用大拇指和食指抓住对手的喉结扭转拉拽的技术。

抓颈部 抓肩膀 夹子手抓颈部

上抓

一. 虎口上抓手腕

• 描述: 虎口上抓手腕是一种当对手用手或拳向下击打自身面部时, 以虎口形态手掌向上进行格挡的技术。

• 方法:

- 从实战准备开始, 弯曲膝盖以降低姿势, 像接住攻击一样格挡。
- 手掌大拇指张开, 使用整个掌面部署抓格挡, 以减少冲击。
- 为了准确地抓住对手的击打臂, 正确的视线和瞬间捕捉很重要。

虎口上抓手腕

(5) 推

推是一种使用手或脚推击假想虚拟物或用力推击对手来调节双方距离, 以确保自身有效攻击距离或远离对方有效攻击距离的技术。用手掌等部位推击对手的胸部或肩部。缓慢地执行推开动作时, 通过调节呼吸使精神和身体浑然一体。推大致可分为品势中推开假想物和实战中推击对手。

推开是指用手或脚贴于对方身体推开的动作, 推击是指用手或脚瞬间弹回对方身体的推击动作。即使是同样的推动作, 力量的使用也会有所不同, 这取决于是将手贴于对方身体, 还是仅在推的时机节点推击对手。

推岩石

- 描述: 推岩石并不是实际推动岩石, 而是以一种像推动大岩石的假想, 将力量聚集于双手的技术。假设对手用力抱住自己时, 主要以前弓步姿势, 从侧面向前慢慢用力推大约5秒, 根据修炼程度持续时间可以增加或减少。
- 方法:
  - 左前弓步姿势站立同时吸气, 双手朝前以对角线形态贴于右侧髂嵴上方的腰线和肋部。
  - 右手向下移动, 左手向上移动, 双手张开后仰倾斜, 使掌心斜向前方。
  - 这个动作应该慢慢执行, 全身保持紧张; 在呼气时, 腰部和躯干应该先向内转, 然后由臂肘推动掌根向上。

- 腰部扭转约30度, 两臂的内角约为120度。
- 掌根于面部前方呈对角线形态, 两肘自然向下, 不应抬起。
- 两手尖的高度与面部末端线相同, 两手间及额间约为一个正拳之距, 两手间露出额头以确保视线。

推岩石

推泰山

•描述: 推泰山并不是实际上推一座大山, 而是一种像推大山一样, 集中意念调节呼吸, 将力量聚集于小腹推的技术。通常与虎步姿势一起使用, 缓慢用力持续大约5秒, 如同向前推一座与身体接触的山峰。

※ 推泰山技术利用腰部旋转产生的反作用力快速伸展双肘时, 也可以作为掌根前击打使用。

•方法:

- 虎步姿势中双手于两侧腰线上手背朝上形成掌根形态。
- 当双手向中心移动时, 前脚侧手的手尖朝下, 后脚侧手的手尖朝上。
- 上方的手臂肘伸直在人中下方停止, 而下方的手臂肘伸直在丹田前方停止。
- 两手掌根长度相同, 位于身体中心线。

推泰山

侧视图

展翅

• 描述: 展翅是类似鸟儿展翅的动作, 是将双手拉至胸前, 之后两手在两肩关节高度手尖朝上, 肘关节侧向伸直, 两手掌心向两侧缓慢伸展推开的技术, 整个过程大约持续8秒。

• 方法:
 - 在并步叠手姿势下, 将手拉至胸前。
 - 双手向两侧张开, 用手掌向肩膀两侧推出。
 - 提起手到胸部时吸气, 推到两侧时呼气。
 - 手尖朝上, 臂肘向两侧伸直。

※ 展翅利用腰部旋转产生的反作用力快速伸展双肘时, 也可以作为掌根侧击打或推开使用。

展翅

(6) 关节技

关节技常用于护身实战，是一种通过按压或拧转折叠对手关节限制其移动的制服技术。使用关节技的前提是抓住或固定对手，通过超出关节活动范围的拧转、折叠或压迫，使对手感到疼痛和危险，从而丧失反击意志。根据近距离被对手抓住和抓住对手时使用力量的方法不同分类。垂直向下按压对手的臂肘或膝盖，称为摁擒。将对手的手腕或踝骨向左或右拧转，称为拧擒。另外，也可以按压或向后弯曲对手的各个手指。

按擒

按擒是一种被抓住手臂或手腕时，使用手刀或掌根按压拧转折叠对手臂肘或肩膀，被抓住腿时，使用手刀或掌根按压拧转折叠对手膝关节的技术。执行这项技术时，需垂直按压对方的胳膊肘或膝盖等部位，并保持身体的重心处于低位，这样可以使身体的重量压在对手的关节部位。此外，用脚按压扭折（绊住）对手的脚踝或膝窝，可以轻易破坏对方重心。

按擒

拧擒

拧擒是一种被对方抓住手腕或衣领时拧转折叠对手手臂的技术。将对手的手臂向左或向右拧转时，一只手要抓住对方握住自己的手不让其挣脱，同时另一只手拧擒对方手臂。此外，如果身体向多个方向移动，可以轻易破坏对手重心。

拧擒

架擒

架擒是一种通过抓住对手手腕, 固定对手关节, 然后利用杠杆和支点的原理将关节拧转折叠出活动范围以外的技术。当对手抓住自己的手腕或领口时, 可以使用这项技术, 但需要注意架擒位置不能动摇。

架擒

(7) 摔法

摔法常用于护身实战，是为了破坏对手重心而将其绊倒或举起的技术。这包括通过抬起和翻过对手的腿，或绊倒对手，使其失去平衡。通过拉拽衣领或推搡对手破坏重心。如因为失去平衡而摔倒，应该使用落法来保护自己的身体。

绊摔

绊摔是通过用脚按压扭折（绊住）对手的脚踝或膝窝使其摔倒的技术。为了更容易地使对手失去平衡，可以用手拉拽对手的手臂及领口，或者用手推搡对手的肩部或胸部，使其摔倒。

用手推开对方时，将自己的胳膊肘伸展到完全伸直的程度，拉拽对方时，将胳膊肘最大限度地向身体内侧折叠。尽可能地使对方的身体大幅度移动，就可以更容易地使对方摔倒。

绊摔

抱摔

抱摔是一种通过抬起对手的腿破坏重心使其倒下的技术。用双手抓住对手的膝窝，利用由下往上的腰部力量提起并掀翻对手。此时应与对手身体紧贴腰部保持直立，与地面垂直方向向上抬起对方的腿。如果腰部弯曲，或者身体的前后重心移动，可能会导致与对手一起摔倒。背摔是这项技术的一个变种，包括先将对手背在自己的背上，然后翻转对手向前使其摔倒。

抱摔

(8) 踢

踢是一种抬起脚来击打对手身体目标部位的技术。可使用膝盖屈曲折叠伸展的力量或伸展的腿部膝盖屈曲的力量踢击，也可使用伸直腿部旋转的力量或利用身体的旋转挥动腿部的力量攻击对手。这样依据腿和脚的运动方法及使用部位不同，踢的技术和打击力也不同。另外，即使是同样的踢击技术，根据抓住对手或施加推力的方法又分为多种类型。虽然从力量上来看，腿部技术（踢）比手部技术（冲拳）大3倍左右，但如若失去平衡，踢击不准确，或者速度慢到对手可以格挡或捕捉踢击的地步时，这种力量就无法正常发挥。一旦出现失误，未能击中对手，将会消耗比起踢击运动更大的力量，同时也将面临对手反击的风险。因此，腿部技术的练习至关重要，需要使其不亚于手部技术的使用。

上踢

- 描述: 上踢是一种腿部膝盖伸展状态下前脚掌用力向上伸展, 经过前方对手膝盖和裆部抵达下颚时攻击的技术。
- 方法:
  - 从实战准备开始, 上半身应放松, 双拳轻松地放在胸前。
  - 支撑脚的膝盖不应过分弯曲。
  - 开始踢击时, 以前脚掌从对方的膝盖踢到下颚的意念, 用力伸展膝盖向上踢击。
  - 准备活动时, 脚和膝盖放松, 以轻柔抬高的方法踢击。
  - 熟练者通过用力上踢使大腿贴近左胸或右胸, 可以做到攻击背后对手的程度。

上踢

侧视图

前踢

- 描述: 前踢是一种向前击打自身前方对手的技术, 通过将膝盖屈曲伸展, 使用前脚掌或脚背, 沿一条直线上击打前方对手的躯干或面部。根据情况, 可以使用前脚掌、后脚掌或脚掌踢击对手。
- 方法:
  - 踢腿的膝盖应该折叠抬起, 并在膝盖接近胸部的高度时向前伸展, 此时, 脚的运动轨迹与目标方向成直线。
  - 脚尖应向后弯曲, 用前脚掌踢击目标。如: 裆部、丹田、胸口、下巴等。
  - 踢击腿通过膝关节屈曲拉回, 还原至起始位置。根据情况, 脚的位置可以移动到期望的方向位置。但是, 如果在踢击或屈曲拉回腿时失去平衡摇摆晃动, 或者无法将脚放在期望的方向位置, 就无法为下一次攻击做好准备。
  - 如果在踢击之前或之后将支撑腿的膝关节伸直, 会导致重心升高容易摔倒。同时不利于应对如下情况。
  - 如果在执行踢击时, 支撑脚的脚掌平贴于地面上, 骨盆和膝关节会受到负担: 这会限制踢击的速度, 并在部署踢击的时刻削弱冲击力。在最糟糕的情况下, 修炼者可能会受到如骨盆和/或膝关节脱臼的伤害。因此, 后脚掌应该跟随踢击脚转动, 或者轻轻地从地面上抬起, 使脚能够以脚掌为轴旋转; 踢击结束后, 后脚掌可以回到原来的位置。力量分布应该是前脚掌55%, 后脚掌45%, 这样前脚掌随时都可以轻松移动。

前踢

横踢

• 描述: 横踢是一种通过将身体向前旋转半圈约180度, 利用身体的旋转力从外侧开始向内挥动并踢击目标打的技术。主要使用前脚掌或脚背以直角方向踢击对手的面部或躯干。

• 方法:

- 当体重落在前轴支撑腿上时, 踢击的腿膝关节屈曲折叠, 转身时腿部水平旋转并伸展屈曲折叠的膝关节, 用前脚掌或脚背踢击目标。
- 作为垂直轴的腿部, 膝关节和脚踝伸展, 使前脚掌可以执行旋转身体的任务。
- 踢击目标后膝关节屈曲折叠, 还原至起始位置。
- 横踢与前踢和侧踢不同, 运动轨迹不是以直线形态移动, 而是在膝关节屈曲折叠上提时旋转身体以伸展折叠的膝关节进行踢击的技术。

※ 侧身斜外踢: 此技术形态介于前踢和横踢之间, 是用前脚掌或脚背以对角线形态斜外踢击的技术, 通常被用作在实战中的快速进攻技术。

横踢

侧视图

侧踢

•描述: 侧踢是一种通过将膝盖折叠抬起并将身体转向侧面, 用脚刀后部进行踢击对手的躯干或面部的技术。根据情况, 可以用后脚掌踢击胸口, 也可以用脚掌踢击, 还可以将膝关节折叠得更高, 以踢击位于头部以上的目标。

•方法:

- 与前踢的方法相同, 踢击腿的膝关节屈曲折叠抬起身体向内扭转, 伸展屈曲折叠的膝关节使用用脚刀的后部向目标发动攻击。
- 在执行踢击的瞬间, 肩膀、骨盆和脚刀应形成一字直线形态, 视线指向目标。
- 支撑腿从踢击腿抬起膝关节屈曲折叠的那一刻开始, 伸展脚踝帮助脚掌快速向前旋转, 同时伸展膝关节增加踢击腿的速度和力量。
- 在执行侧踢的瞬间, 身体不能向踢击的反方向倾倒, 应像竖立的 "Y" 字型一样, 同时将身体重心向踢击的方向移动, 以增加推进力。
- 踢击腿应通过膝关节屈曲折叠拉回, 以还原至起始位置或移动到期望的位置。

侧踢

一. 后转身侧踢

- 描述: 后转身侧踢是一种当对手在自己前方时, 通过将身体向后旋转半圈约180度, 膝关节屈曲折叠伸展, 以脚刀、后脚掌或脚掌踢击对手的技术。
- 方法:
  - 于站立位置上, 前脚的后脚掌应向对手转动, 踢击腿膝关节屈曲折叠上提, 向目标方向转动视线于躯干, 伸展膝关节笔直踢击。
  - 踢击腿的膝关节应像在侧踢中那样屈曲折叠抬起。
  - 踢击腿的脚部末端形态与侧踢中一样。
  - 执行踢击连接时, 在前踢完成后转动前脚掌, 利用身体的旋转先扭转视线; 接着再通过跟随身体向后转身进行侧踢。

二. 半山侧踢

• 描述: 在转动支撑腿前脚掌和腰部的同时, 一只手握拳于肩前, 另一只手握拳于臂肘下方的腰线处形成两手交叉形态, 进行半山格挡的同时外侧腿缓慢执行侧踢, 是一种难度极高的技术。

• 方法:
  - 双手交叉膝关节折叠上提, 膝关节和双手缓慢伸展, 半山格挡和侧踢动作应同时完成。
  - 锤拳外击打和侧踢要保持水平。
  - 脚掌、膝关节和骨盆保持平衡不摇晃以稳定踢击。
  - 当慢速执行此技术时, 动作执行时间约为五秒。

后转身侧踢　　半山侧踢

后踢

•描述: 后踢是一种当对手在自己前方时, 通过将身体向后旋转半圈约180度, 用脚刀、后脚掌和脚掌踢击对手的技术。根据情况, 也可以在原地用前脚踢击后方目标。

•方法:

- 在站立位置上, 前脚的后脚掌向对手方向转动, 踢击腿膝关节屈曲折叠上提, 向目标方向转动躯干和视线, 伸展膝关节笔直踢击。
- 踢击腿屈曲折叠的膝关节不应外展。
- 在旋转身体提起膝关节时, 踢击腿不应移出身体的外边界, 沿直线通过支撑腿的膝盖内侧向前伸直踢击。
- 踢击腿脚部末端形态与侧踢相似, 肩膀保持闭合, 背部朝向对手。
- 与侧踢相比, 上半身应更向前倾, 身体的重心像踢击方向移动。
- 踢击腿应通过膝关节屈曲折叠拉回, 以还原至起始位置或移动到期望的位置。
- 视线应越过肩膀指向踢击的方向, 但也可在已经预测和判断的情况下不看目标直接踢击。

后踢

旋踢

旋踢是一种将膝关节屈曲折叠上提，随后通过伸展膝关节和扭转腰部的角向力将脚掌或后脚掌斜向上抬高，以水平形态旋踢的技术。可以向前旋踢，也可以向后转身旋踢。根据情况，可以不折叠膝盖仅弯曲腿部进行踢击，或者在空中旋转几圈后进行踢击。

一. 前旋踢

将踢击腿的膝关节向前方屈曲折叠上提向内转动，在踢击时腿部斜向上抬膝关节伸展水平旋踢。不是像正抬踢凿开目标踢击停住后再将脚拉回的方法，而是以踢击腿击中目标并穿透目标的方式进行踢击。可使用的身体部位包括脚掌、后脚掌和脚后跟。

前旋踢

二. 后旋踢

描述: 后旋踢是一种通过身体向后旋转半圈约180度, 用脚掌、后脚掌和脚后跟踢击对手的技术。前脚转动, 踢击腿膝关节屈曲折叠上提, 在执行踢击时, 踢击腿斜向上抬, 膝关节向外伸展水平踢击。

后旋踢

下劈

• 描述: 下劈是一种通过用脚掌或后脚掌由上至下踢击对手面部或胸部等部位的技术。踢击腿抬起时膝关节屈曲折叠, 向下踢击时膝盖伸展。

• 方法:

- 身体的重心位于前方, 使踢击腿承载身体重量。
- 踢击腿应抬高至对手的面部以上, 踢击的瞬间用力, 像踩按在对手身上一样有力地踢击。
- 通常, 膝关节向前方屈曲折叠上提, 然后在伸展屈曲折叠的膝关节时垂直向下踢击。
- 根据对手的位置, 可以执行向内下劈或向外下劈。

下劈

一. 踩脚

• 描述: 踩脚是一种为了限制对方移动或逃跑, 通过后脚掌用力踩踏对手的脚或脚背脆弱部位的技术。主要用于与对手处于近距离接触时, 可以此来固定对手, 以便进行连续攻击。

• 方法:

- 膝盖屈曲折叠上提, 踩踏对手脚背。
- 根据情况, 可使用后脚掌、脚刀或脚掌来踩踏对手的脚背。
- 此技术有几种变化: 一种是沿直角踩踏, 另一种是扭转踩踏。

踩脚

内摆踢

- 描述: 内摆踢是一种在膝关节伸展状态下, 通过由外向内大幅度摆动腿部, 使用脚刀背或脚掌踢击目标的技术。主要用于踢击对手面部。
- 方法:
  - 支撑腿的前脚掌旋转, 踢击腿的膝关节向前伸展, 利用腿部向内摆动动作的旋转力执行踢击。
  - 通常, 此技术用于踢高处的目标; 根据情况, 也可以用来打击障碍物上方的目标。
  - 踢击时需利用腰部拧转产生的力量才能发挥出更大的冲击力。

内摆踢

外摆踢

- 描述: 外摆踢是一种在膝关节伸展状态下, 通过由内向外大幅度摆动腿部, 使用脚刀踢击目标的技术。主要用于踢击对手面部, 也可以像侧身斜外踢那样使用脚背踢击。
- 方法:
  - 支撑腿的前脚掌旋转, 踢击腿的膝关节向前伸展, 利用腿部向外摆动动作的旋转力执行踢击。
  - 通常, 此技术用于踢高处的目标; 根据情况, 也可以用来打击障碍物上方的目标。
  - 踢击时需利用腰部旋转产生的力量才能发挥出更大的冲击力。

外摆踢

推踢

•描述: 推踢是一种为了推倒对方或与对方保持距离而推开踢击的技术。与前踢类似主要使用前脚掌进行推开踢击, 但也会使用脚掌将对手推开。推踢虽然与前踢和侧踢的动作相似, 但在将脚接触目标后像推开一样踢击这点上存在差异。

•方法:

- 类似于侧踢或正抬踢, 但目的不是攻击目标, 而是在脚与目标紧密接触后以推开的方式踢击。
- 为了使腿能承载身体重量, 应适当使用腰部的反作用力。脚掌是此技术的典型使用部位。

推踢

勾踢

• 描述: 勾踢是一种当对手闪避过侧踢或后旋踢双方接近时, 膝关节屈曲折叠, 使用脚后跟踢击对手后脑或背部的技术。根据情况, 也可以用来挂住对手的颈部或膝窝。

• 方法:

  - 当对手闪避并贴近时, 利用伸展的膝关节向后屈曲折叠的拉力攻击对方后脑或背部。
  - 当执行后旋踢时, 若对手贴近, 应立即将膝关节屈曲折叠, 使用后脚跟踢击对手。

勾踢

侧身斜外踢

•描述: 侧身斜外踢是一种将膝关节向身体内侧屈曲折叠上提, 通过脚背或前脚掌旋转朝外侧踢击目标的技术。用来在躲避对手的攻击时踢击对手面部, 或在原地执行多个技术组合。此外, 为了让对手难以预测, 可以在横踢后连接使用侧身斜外踢技术。

•方法:

- 在左实战准备姿势中用右腿踢击的时, 以左脚为轴, 右脚像前踢一样膝关节屈曲折叠上提, 经由身体正面向左侧外线移动, 再向右改变方向伸展膝关节踢击。使用部位为前脚掌和脚背。
- 同样, 身体应先向左转, 然后利用骨盆的反作用力向右转。
- 作为轴的左脚, 应该像在前踢中一样使用。在执行踢击时, 脚踝略微伸展, 膝关节略微弯曲。
- 在执行侧身斜外踢时, 两手位于踢击方向的相反方向。

侧身斜外踢

多段侧踢

•描述: 多段侧踢是一种使用一侧脚重复执行2次以上相同踢击的技术。此技术的变化形式包括多段前踢、多段横踢和多段侧踢等。

•方法:

- 原地站立, 一侧脚做支撑, 另一侧脚连续踢击目标至少两次。
- 通常, 第一次踢击是攻击膝盖, 第二次踢击是攻击躯干或面部。
- 第一次踢击相对力度较轻, 踢击后快速屈曲折叠膝关节; 第二次踢击应用强力度踢击以压制对手。

多段侧踢

掌心内摆踢

• 描述: 掌心内摆踢是一种以手掌为假想目标, 使用对侧腿向内踢击的技术。虽然对目标高度没有限制, 但主要以面部为目标使用脚刀背和脚掌踢击。

• 方法:

- 执行踢击时目标不应移动, 踢击腿上提向前, 膝关节弯曲向内踢击目标。
- 为了练习多种技术和提高踢击的准确度, 可以根据练习的需要调整目标的位置。

掌心内摆踢

垫步踢

- 描述: 垫步踢是一种通过前脚垫步后脚跟随, 并使用垫步的脚踢击目标的技术。垫步的意思是指脚用力踩踏地面, 这样做的理由是为了人为的获得推进力, 在踢击时发挥更大的力量。
- 方法:
  - 为了在身体向前移动时产生更大的力量, 前脚用力踩踏地面, 后脚自然跟随。
  - 降低身体的重心, 用力踩踏地面时身体重心向前转移。
  - 使用垫步可以执行如: 前踢、横踢、侧踢、内摆踢、侧身斜外踢和推踢等技术。
  - 向前移动时需注意上半身保持直立, 不向后倾斜, 身体的重心迅速向前转移, 利用垫步移动产生的力量踢击。

垫步踢

并步踢

- 描述: 并步踢是一种将身体重心平衡于两脚之间, 通过迅速将后脚移至前脚后侧并立, 使用前脚踢击的技术。主要用于向前移动攻击近距离对手。
- 方法:
  - 将后脚移至前脚并立位置时, 为了使身体不向上移动, 应维持较低的身体重心。
  - 后脚位置与前脚并立时, 前脚应迅速屈曲折叠上提并发动踢击。
  - 为了执行并步踢将重心向前移动时, 注意不要形成跳远的动作形态。

并步踢

连续踢

- 描述: 连续踢是一种使用左、右脚交替连续执行相同踢击的技术。当对手向后迈步时, 应追赶对手并连续踢击。根据情况, 可以在执行连续踢时跳跃。用于实战的连续踢击技术包括连续横踢 (连续执行横踢) 或腾空连续横踢 (=双飞踢)。它们都涉及在半空中跳跃和交替踢击的动作。在击破中, 可以通过跳跃在空中使用双脚实施连续的交替踢法针对多个固定目标进行踢击。
- 方法:
  - 实战姿势中, 执行后脚踢击后, 接着使用前脚踢击时, 要利用腰部和骨盆的反作用力。
  - 在完成第一次踢击后, 要注意快速、准确地将踢击脚折叠收回, 并确保身体的重心位于身体的中心线上, 而不是倾向于移动的方向。这样做有助于保持平衡, 为第二次踢击提供稳定的基础。
  - 在第一次踢击结束, 膝盖开始折叠瞬间, 上半身应已经做好第二次踢击的准备。

连续踢

连续混合踢

• 描述: 连续混合踢类似于连续踢, 也是用左脚和右脚交替地重复进行踢击, 但在此技术中, 左脚和右脚使用的踢击技术不同。

混合踢

• 描述: 混合踢是一种使用一侧脚执行两个或更多踢击的技术。种类包括前踢连接横踢、前踢连接侧踢、侧身斜外踢连接横踢等。

• 方法:

第一次踢击后, 踢击腿不接触地面, 改变方向和技术, 屈曲折叠执行第二次踢击, 为了接近对手, 在完成第一次踢击后执行第二次踢击时, 作为轴的支撑腿应朝着对手方向略微向前移动。

混合踢

两脚交替踢

- 描述: 两脚交替踢是一种身体跳跃在空中两脚交替连续踢击的技术。两脚连续踢的变化形式包括两脚连续前踢、两脚连续侧踢、两脚连续横踢、两脚连续内摆踢和两脚连续推侧踢等。
- 方法:
  - 跳跃后, 先使用后侧脚进行一次踢击, 在完成第一次踢击后迅速将后脚折叠回位, 紧接着使用前脚进行一次踢击。
  - 第一次踢击的脚折叠回位越快, 另一侧下一只脚的第二次踢击就可以踢得越高。
  - 两脚连续踢有两种类型: 一种是向前跳跃踢击远处目标, 另一种是向上跳跃踢击高处目标。
  - 两只脚都需要踢击至躯干以上高度。
  - 两臂臂肘折叠, 于胸前自然移动。

两脚交替踢

腾空踢

• 描述: 腾空踢是一种为了攻击在原地无法触及的高处、远处或障碍物之外的目标, 通过跳跃腾空踢击的技术。这指的是所有跳跃到空中进行踢击的技术, 如腾空前踢、腾空横踢、腾空侧踢、腾空下劈、腾空后踢、腾空后旋踢、腾空内摆踢、腾空推踢和腾空换脚踢等技术。既可以双脚跳跃, 也可以用单脚 (前脚或后脚) 跳跃, 还具有利用身体重量增加踢击的力量的优点。

• 方法:
  - 用力蹬地并折叠膝关节, 使脚尽可能地抬高, 起跳脚承载体重后直至跳起前为止持续将身体推离地面。
  - 面向高位目标时, 应将折叠腿与双手向上抬起, 面向远处目标时, 应将折叠腿与双手向目标方向抬起。

腾空踢

双飞踢

- 描述：双飞踢是一种跳跃以双脚连续执行横踢的技术。因其踢击形态酷似翅膀拍打而得名。首先，应该用一只脚旋转横踢，接着用另一只脚执行腾空横踢。通常先踢的脚用于迷惑对手，膝关节不应完全伸展，而后踢的脚通过腰部拧转，准确地向目标旋转踢击。
- 方法：
  - 先踢的脚为了迷惑对手腿部不能完全伸直，后踢的脚为了向目标强力踢击，利用腰部旋转产生的反作用力准确地踢向目标。
  - 为了提高双脚的连贯性，第一脚屈膝时身体重心不能向上移动。
  - 在连续提起膝关节时，注意膝关节的方向不应从身体外侧向内侧旋转提起，而是沿直线方向快速将膝关节折叠，以执行横踢。
  - 为了保持平衡，双脚连续旋转踢击时应确保上半身不向后倾斜。

双飞踢

旋风踢

• 描述: 旋风踢是一种全身向后旋转跳跃使用横踢踢击的技术。这项技术得名于其旋转跳跃的形状类似旋风。这项技术利用跳跃时的旋转力量来增强踢击的力度。在实战中, 旋风踢通常用来欺骗或追击对手。此外, 在击破中, 根据练习者的技术水平, 可以连续多次使用旋风踢或者增加旋转的角度以增强攻击效果。

• 方法:

- 以前脚为轴, 向身体后方旋转半圈以上, 支撑脚 (轴脚) 跳跃, 双脚交叉, 旋转踢向目标。
- 当向后旋转时, 首先转动视线, 然后依照顺序转动肩膀、手臂、躯干和腿, 最终执行旋转踢击。
- 当以前脚为轴旋转时, 后脚沿着直线紧贴前脚通过, 在跳跃时, 已经完成前行的后脚应迅速抬起, 同时双手应伸向空中, 以执行腾空横踢。
- 在旋转时身体的重心放在前面的轴心脚上, 将视线迅速转向背后。在这个动作中, 注意下巴不向上或向下移动, 而应该沿着与肩线平行的轨迹旋转。
- 当向后方旋转时, 身体方向正确指向正面时跳跃踢击。

旋风踢

并脚踢

• 描述: 并脚踢是一种通过将双脚并拢以击中单一目标的技术, 脚掌蹬地跳跃, 将双脚合拢以同时击中单一目标。这项技术的延伸技术包括并脚前踢、并脚横踢、并脚侧踢和并脚推踢。

• 方法:

- 在跳跃前双脚自然并拢, 蹬地时视线和上半身指向目标, 而不是地面。
- 在蹬地跳跃时, 应当调整降低站姿, 将双膝屈曲折叠迅速抬至胸部高度。
- 在蹬地跳跃瞬间, 使身体的移动方向能够向上直跳, 而不是上半身前倾或后仰。
- 并脚踢击时, 双手伸至两腿外侧以下, 以帮助维持平衡。踢击目标后, 快速折叠双膝以平稳落地。

侧视图

并脚踢

双脚前踢

•描述: 双脚前踢与并脚踢类似, 是用双脚在半空中踢击目标的技术。通过分开双脚而不是将它们并拢再一起进行踢击。

•方法:

- 这项技术的执行方法类似于并脚踢。
- 在执行双脚前踢时, 双手可以在身体中间向下伸展或聚集于胸前, 以宽广的视线注视两个目标。

双脚前踢

后空翻踢

•描述: 空翻踢是一种在空中垂直转身, 使用单脚或双脚向前踢击高处目标的技术。以腰轴为基础, 整个身体应沿前-后-侧-对角线水平旋转, 在落地前执行空翻踢。这项技术的变体包括 "后空翻前踢"、"前空翻双脚前踢" 和 "斜空翻横踢" 等。

•方法:

- 原地使用双脚用力推地面, 跳跃时上半身不向后倾斜, 双手准确地向上传动。
- 尽管视线应指向目标, 但头部或上半身不应向后倾斜, 跳高后双膝应迅速拉向胸部。
- 如果后空翻时手部放置在身体的前侧, 那么如果沿着前侧旋转, 着陆时有受伤的风险。
- 在半空中执行旋转时, 注意不要向后倾斜头部。
- 后空翻踢击时, 视线应指向目标, 踢击后必须收回脚, 将膝盖拉回胸部, 然后落地。

后空翻踢

剪刀踢

- 描述: 剪刀踢是一种双脚张开同时击打两个目标的技术, 因其跳跃踢击的形态酷似剪刀而得名。一般情况下, 向两个目标攻击时, 一只脚执行的是斜外踢, 而另一只脚执行的是类似于侧踢形态的踢击, 双腿会大幅度地分开踢击。这种技巧的变体包括水平一字踢和斜一字踢。
- 方法:
  - 跳跃时, 执行斜外踢的膝盖应快速折起, 使双膝准确地并拢, 然后进行一字踢。
  - 执行一字踢时, 视线朝前, 身体和前手的方向朝向斜外踢的目标方向。
  - 在进行侧身斜外踢和侧踢之前与之后, 一定要将双膝并拢。踢击结束后, 将朝向斜外踢目标方向的上半身调整回面向正面, 然后落地。

剪刀踢

附录

跆拳道技术列表

跆拳道技术列表

序号	技术	标题	实用技术	备注
1	关节技	4	1	
2	落法	5		
3	摔法	3		
4	步法	7	9	
5	跳跃	4		
6	格挡	17	42	
7	推	3		
8	抽	6	4	
9	步伐	13	6	
10	抓	3	6	
11	准备姿势	8	2	
12	冲拳	19	6	
13	刺击	4	2	
14	踢	27	47	
15	击打	13	42	
16	躲避	5		

技术	标题	实用技术	补充名称
关节技 (4/1)	- 架擒		
	- 按擒	- 膝盖按擒	
	- 拧擒		
	- 指擒		
落法 (5)	- 空中旋转落法		
	- 前方落法		
	- 侧方落法		
	- 旋转滚翻		
	- 后方落法		
摔法 (3)	- 绊摔		
	- 抱摔		
	- 背摔		
步法 (7/9)	- 前滑步 (4)	- 双脚前滑步	
		- 后脚前滑步	
		- 并脚前滑步	
		- 前脚前滑步	
	- 转身步 (4)	- 90度后转身步	
		- 90度前转身步	
	- 转身步 (4)	- 135度后转身步	
		- 135度前转身步	
	- 斜滑步		
	- 后滑步		
	- 侧滑步		
	- 半前滑步		
	- 原地步	- 换势步	

※ 补充名称：关于使用的技术，此名称可提供更具体的信息。

技术	标题	实用技术	补充名称
跳跃 (4)	- 跳高		
	- 跳越		
	- 跳转		
	- 跳远		
格挡 (17/42)	- 剪刀格挡		
	- 助手格挡 (9)	- 助手外格挡	- 仰拳助手外格挡
		- 掌根助手中格挡	- 背拳助手掌根内格挡
		- 手刀助手外格挡	- 仰手助手手刀外格挡
		- 手刀背助手外格挡	- 扣手助手手刀背外格挡
		- 下段手刀助手格挡	- 仰手助手下段手刀格挡
		- 下段助手格挡	- 仰拳助手下格挡
		- 内格挡接内格挡	- 内格挡接内助手内格挡
		- 内手腕助手外格挡	- 仰拳助手内手腕外格挡
			- 手掌助手内手腕外格挡
		- 上段内手腕助手侧格挡	- 背拳助手内手腕上段侧格挡
	- 躯外格挡		
	- 金刚格挡 (2)	- 内手腕金刚外格挡	
		- 手刀金刚格挡	
	- 下格挡 (2)	- 下格挡	
		- 手刀下格挡	
	- 下压格挡	- 掌根下压格挡	
	- 外格挡 (3)	- 手刀外格挡	
		- 内手腕外格挡	
		- 上段外格挡	
	- 阻击格挡 (2)	- 脚刀阻止格挡	
		- 小腿阻止格挡	

技术	标题	实用技术	补充名称
格挡 (17/42)	- 斜格挡 (3)	- 手刀斜外格挡	
		- 内手腕斜外格挡	
		- 上段手刀斜外格挡	
	- 内格挡 (4)	- 中段格挡	
		- 掌根内格挡	
		- 手刀内格挡	
		- 下段内手腕掌格挡	
	- 交叉格挡 (4)	- 下段交叉格挡	
		- 下段手刀交叉格挡	
		- 上段交叉格挡	
		- 上段手刀交叉格挡	
	- 侧格挡 (3)	- 手刀侧格挡	
		- 下段侧格挡	
		- 内手腕侧格挡	
	- 上格挡 (3)	- 拉上格挡	- 内手腕上格挡
		- 上段格挡	
		- 手刀上段格挡	
	- 半山形格挡	- 平手半山格挡	
	- 泰山格挡/山型格挡		
	- 交叉格挡 (5)	- 下段交叉分开格挡	
		- 下段手刀交叉分开格挡	
		- 内手腕交叉分开格挡	
		- 手刀背交叉分开格挡	
		- 交叉分开泰山格挡	- 上段双手内手腕侧格挡
	- 牛角格挡		
推 (3)	- 展翅		
	- 推岩石		
	- 推泰山		

技术	标题	实用技术	补充名称
抽 (6/4)	- 下抽		
	- 转抽 (2)	- 旋转外抽	
		- 旋转内抽	
	- 双肘外抽		
	- 上抽		
	- 扭抽 (2)	- 向外扭抽	
		- 向内扭抽	
	- 挥抽		
步伐 (13/6)	- 辅助步		
	- 交叉步 (2)	- 后交叉步	
		- 前交叉步	
	- 并排步	- 宽并排步	
	- 后弓步		
	- 斜步		
	- 并步		
	- 虎步		
	- 前弓步		
	- 前行步		
	- 侧步 (2)	- 右侧步	
		- 左侧步	
	- 膝窝步		
	- 马步	- 斜马步	
	- 鹤立步		

技术	标题	实用技术	补充名称
抓 (3/6)	- 缠抓	- 缠抓手腕	
	- 伸抓 (4)	- 抓头	
		- 抓脚腕	
		- 抓肩膀	
		- 夹子手抓颈部	
	- 上抓	- 虎口上抓手腕	
准备姿势 (8/2)	- 实战准备/实战姿势		
	- 击破准备		
	- 叠手准备		
	- 基本准备/基本收势		
	- 抱拳准备		
	- 推圆柱准备		
	- 护身准备		
	- 特殊辅助姿势 (2)	- 小铰链击	
		- 大铰链击	
冲拳 (19/6)	- 金刚拳 (2)	- 金刚前冲拳	
		- 金刚侧冲拳	
	- 下冲拳		
	- 横冲拳		
	- 两次冲拳		
	- 后手冲拳		
	- 正冲拳		

技术	标题	实用技术	补充名称
冲拳 (19/6)	- 反冲拳		
	- 斜冲拳		
	- 立冲拳		
	- 下段冲拳		
	- 前手冲拳		
	- 上段冲拳		
	- 侧冲拳	- 掌侧冲拳	
	- 上冲拳	- 双手中凸上冲拳	
	- 鱼越障碍物冲拳		
	- 仰冲拳	- 双拳仰冲拳	
	- 长短拳		
	- 拉冲拳	- 拉上冲拳	
	- 对掌冲拳		
刺击 (4/2)	- 助手刺击	- 助手立刺击	- 手背助手立刺击
	- 立刺击		
	- 扣手刺击		
	- 仰手刺击	- 下段仰手刺击	

技术	标题	实用技术	补充名称
踢 (27/47)	- 剪刀踢	- 剪刀踢1-5阶段	
	- 多阶段踢	- 多段侧踢	
	- 后空翻踢 (5)	- 踩踏后空翻前踢	
		- 踩踏后空翻双脚前踢	
		- 后空翻前踢1-5阶段	
		- 后空翻双脚前踢	
		- 投掷后空翻前踢	
	- 垫步踢		
	- 双飞踢		- 腾空连续横踢
	- 勾踢		
	- 下劈	- 踩脚	
	- 多方向踢		
	- 旋风踢 (8)	- 踩踏旋风踢1-5阶段	
		- 蒙眼腾空旋风踢	
		- 360度旋风踢	

技术	标题	实用技术	补充名称
踢 (27/47)	- 旋风踢 (8)	- 360度单脚旋风踢	
		- 720度旋风踢1-4阶段	
		- 1080度旋风踢1-4阶段	
		- 720度旋风踢1-3阶段	
		- 10回连续旋风踢	
	- 横踢 (7)	- 横踢1-5阶段	
		- 腾空横踢	
		- 斜外踢	
		- 前脚带步横踢	
		- 前脚反击上段横踢	
		- 前脚原地横踢	
		- 换势横踢	

技术	标题	实用技术	补充名称
踢 (27/47)	- 后踢	- 腾空后踢	
	- 腾空踢 (4)	- 两脚交替前踢	
		- 腾空后踢1-3阶段	
		- 腾空后旋踢	
		- 腾空360度掌心内摆踢	
	- 并脚踢		
	- 推踢		
	- 外摆踢		
	- 并步踢 (2)	- 并步下劈	
		- 并步横踢	
	- 侧身斜外踢		
	- 混合踢		
	- 快速一列踢		
	- 竖直踢4阶段		
	- 前踢 (7)	- 踩踏斜后空翻前踢1-5阶段	
		- 踩踏前踢1-5阶段	
		- 双脚前踢	
		- 腾空前踢	
		- 斜空翻前踢	
		- 并脚前踢	
		- 前踢1-5阶段	

技术	标题	实用技术	补充名称
踢 (27/47)	- 侧踢 (3)	- 后转身侧踢	
		- 腾空侧踢	
		- 侧踢1 - 5阶段	
	- 上踢		
	- 连续混合踢		
	- 连续踢		
	- 掌心踢	- 上段掌心内摆踢	
	- 勾踢 (6)	- 后旋踢	
		- 斜空翻后旋踢	
		- 前旋踢	
		- 540度后旋踢1 - 3阶段	
		- 900度后旋踢1 - 4阶段	
		- 10回连续后旋踢	

技术	标题	实用技术	补充名称
击打 (13/42)	- 助手击打 (4)	- 颈部虎口助手击打	- 手背助手颈部虎口击打
		- 上段背拳助手击打	- 背拳助手上段背拳击打
		- 臂肘助手横击大	- 手掌助手臂肘横击打
		- 臂肘助手侧击打	- 手掌助手臂肘侧击打
	- 下击打 (5)	- 背拳下击打	
		- 锤拳下击打	
		- 手刀下击打	
		- 手刀背下击打	
		- 臂肘下击打	
	- 拉击打	- 下颚背拳助手拉击打	- 背拳助手下颚背拳击打
	- 横击打 (3)	- 膝盖横击打	
		- 上段臂肘助手横击打	- 手掌助手上段臂肘侧击打
		- 臂肘横击打	

技术	标题	实用技术	补充名称
击打 (13/42)	- 后击 (2)	- 上段臂肘后击打	
		- 臂肘后击打	
	- 双肘横击打		- 双肘侧击打
	- 外击打 (3)	- 手刀外击打颈部	
		- 锤拳外击打	
		- 背拳外击打面部	
	- 前击打 (6)	- 锤拳前击打	
		- 颈部虎口前击打	
		- 掌根前击打	
		- 上段背拳前击打	
		- 上段掌根前击打	
		- 额头击打/额前击打	
	- 内击打 (6)	- 双手锤拳内击打	
		- 颈部手刀内击打	
		- 颈部燕形内击打	
		- 掌根内击打	
		- 下段锤拳掌心内击打	
		- 上段锤拳掌心内击打	
	- 上击打 (2)	- 膝盖上击打	
		- 下颚臂肘上击打	
	- 侧击打 (5)	- 背拳侧击打	
		- 颈部手刀侧击打	
		- 手刀侧击打	

技术	标题	实用技术	补充名称
击打 (13/42)	- 侧击打 (5)	- 臂肘侧击打	
		- 臂肘助手侧击打	- 手掌助手臂肘侧击打
	- 燕手刀 (2)	- 颈部燕形内击打	
		- 下颚燕形前击打	
	- 掌对击 (3)	- 下段锤拳掌心内击打	
		- 上段锤拳掌心内击打	
		- 臂肘掌心前击打	
躲避 (5)	- 降低重心躲避		
	- 侧身躲避		
	- 弯腰躲避		
	- 后仰躲避		
	- 斜身躲避		

参考文献

李静圭 (2012). 跆拳道科学. Sanga Vill.

国技院 (1987). 国技跆拳道教本. 三凤出版社.

国技院 (2005). 跆拳道教本. Osung Publishing Co.

国技院 (2008). 跆拳道技术发展研究.

国技院 (2009). 关于确定跆拳道技术动作的运动学原理的研究.

国技院 (2009). 关于建立跆拳道术语的研究.

国技院 (2010). 跆拳道技术术语.

国技院 (2011). 世界跆拳道学院标准修炼指南的编制.

国技院 (2012). 关于跆拳道身份的研究.

国技院 (2012). 世界跆拳道学院基础教本: 跆拳道与人文科学, 社会科学, 自然科学和科技.奥林匹克.

国技院 (2014). 跆拳道的穴位和要害部位的研究.

国技院 (2014). 跆拳道: 基础和品势.

国技院 (2014). 通过分析跆拳道的技术结构和体系进行源技术开发的第一阶段研究.

国技院 (2015). 跆拳道源技术开发的第二阶段研究; 基础和品势, 实战和击破的指南.

国技院 (2017). 建立跆拳道击破技术的术语及其传播手段.

国技院 (2017). 跆拳道击破技术的术语.

国技院 (2017). 跆拳道教本: 护身术.

国技院 (2018). 为编写跆拳道教本进行的在线调查和专业研讨会研究.

国技院 (2019). 跆拳道术语词典.

国技院 (2020). 为编写跆拳道教本进行的研究启动.

国技院 (2020). 跆拳道护身术.

国技院 (2021). 为编写跆拳道教本进行的研究的设计.

跆拳道教本第二卷: 基本

第一版印刷	2023年11月30日
编辑委员长	李銅燮(国技院院长)
总监	朴鍾範(国技院)
作者	崔致善(陆军士官学校) 李松鶴(国技院)
专门委员	姜元植(国技院) 李奎鉉(国技院) 郭基玉(国技院) 李鍾寬(国技院) 李高範(国技院) 楊鎭芳(大韩跆拳道协会) 安容奎(韩国体育大学) 丁局鉉(韩国体育大学) 許建植(世界武艺大师委员会)
项目经理	李美蓮(国技院)
验收	方仁周(韩国体育大学) 李宗柏(湖南师范大学) 南相爽(国技院)

发行单位	国技院
地址	韩国首尔市江南区德黑兰路7街32号, 邮编06130
电话	+82-2-3469-0185
传真	+82-2-3469-0189
网站	research.kukkiwon.or.kr

编辑-印刷	Myungjin C&P Co.公司
插图	由金贞均插画, 人体插图由李泰真绘制
地址	韩国首尔市永登浦区京仁路82街3-4号, CenterPlus大厦616室
电话	+82-2-2164-3000
传真	+82-2-2164-3010
ISBN	979-11-91659-20-7 (94690)